CW00401345

MES SOLUTIONS À LA CRISE

Le Grand Désordre mondial, Saint-Simon, 2006.
L'Alchimie de la finance, Valor, 1998.

GEORGE SOROS

MES SOLUTIONS
À LA CRISE

*Traduit de l'américain
par Nicolas Wronski*

hachette
LITTÉRATURES

Collection fondée par Georges Liébert
et dirigée par Joël Roman

ISBN : 978-2-01-270520-3

Note aux lecteurs

Le présent ouvrage a été publié en français par les éditions Denoël en 2008 sous le titre *La Vérité sur la crise financière*, correspondant aux deux premières parties de la présente édition. La dernière partie, ainsi que les annexes, sont totalement inédites. Elles ont été rédigées par l'auteur pour l'édition de poche parue aux États-Unis en mars 2009. Cette actualisation, qui ne figurait pas dans l'édition initiale parue aux éditions Denoël, rend compte de son analyse de la crise de l'automne 2008.

Introduction

Nous sommes au cœur de la plus grave crise financière qui se soit produite depuis les années 1930. Elle ressemble à certains égards à d'autres crises qui se sont succédé au cours du dernier quart de siècle, mais elle est profondément différente. Elle marque la fin d'une ère d'expansion du crédit fondée sur le dollar comme monnaie de réserve internationale, alors que les précédentes crises faisaient partie d'un cycle *boom-bust* (expansion-contraction) plus large. Elle est le pic d'un «super-boom» qui a duré plus de vingt-cinq ans.

Nous avons besoin, pour comprendre ce qui est en train de se passer, d'un nouveau paradigme. Celui qui prévaut actuellement, et qui veut que les marchés financiers tendent vers l'équilibre, est erroné et trompeur. Nos difficultés actuelles tiennent dans une large mesure au fait que le système financier international s'est construit sur cette base.

Le nouveau paradigme que je propose ne se limite pas aux marchés financiers : il met en jeu la relation même entre pensée et réalité. Il affirme que les idées fausses et

9

les erreurs d'interprétation jouent un rôle majeur dans l'évolution du cours de l'histoire. J'ai commencé à développer ce cadre conceptuel lorsque j'étais étudiant à la London School of Economics — bien avant, donc, de m'occuper de marchés financiers. J'ai été très influencé, comme je l'ai écrit dans mes précédents livres, par la philosophie de Karl Popper, ce qui m'a amené à contester les postulats sur lesquels est fondée la théorie de la concurrence pure et parfaite, et en particulier le postulat de la connaissance parfaite. J'ai pris conscience de ce que les acteurs du marché sont incapables de fonder leurs décisions sur la seule connaissance, et que leurs perceptions biaisées sont susceptibles d'influencer non seulement les prix de marché, mais aussi les « fondamentaux » que ces prix sont censés refléter. J'ai souligné que la pensée des acteurs a une double fonction. D'un côté, ils s'efforcent de comprendre la situation dans laquelle ils se trouvent ; c'est ce que j'ai appelé la fonction cognitive. De l'autre, ils s'efforcent de changer cette situation ; c'est ce que j'ai appelé la fonction participative ou manipulatrice. Ces deux fonctions opèrent en sens inverse l'une de l'autre et peuvent, dans certaines circonstances, interférer l'une avec l'autre. J'ai donné à cette interférence le nom de *réflexivité*.

Depuis mes débuts, j'applique ce cadre conceptuel aux marchés financiers. Il m'a permis de mieux comprendre les cycles *boom-bust,* ces processus cumulatifs à leur début et autodestructeurs à leur fin, et cette compréhension m'a été très précieuse dans mes activités de gestionnaire de *hedge fund*[1]. J'ai exposé la théorie de la réflexivité dans un livre, *L'Alchimie de la finance*. Le livre a eu ses adeptes et même ses inconditionnels, mais la théorie elle-même n'a pas été prise au sérieux dans les milieux universitaires, au point que j'ai moi-même nourri des doutes quant à l'originalité et à la portée de mon propos. Je m'attaquais, en effet, à l'une des questions philosophiques fondamentales, à l'une de celles qui ont été le plus étudiées, et sur lesquelles tout a probablement déjà été dit. Ma théorie n'en demeure pas moins quelque chose de très important pour moi. Elle m'a aidé aussi bien à gagner de l'argent comme spéculateur qu'à le dépenser comme philanthrope, et elle est devenue constitutive de mon identité.

Je ne m'occupais plus directement de la gestion quotidienne de mon *hedge fund*, auquel j'avais d'ailleurs donné le statut plus paisible d'*endowment fund*[2], lorsque l'actuelle crise financière a éclaté. Mais je me suis senti obligé, étant donné les événements, de m'intéresser de nouveau de plus près aux marchés financiers et d'intervenir plus activement dans les décisions d'investissement. J'ai même décidé, vers la fin de 2007, d'écrire un livre où j'analyserais et expliquerais la situation. J'étais guidé par trois motivations. La première était qu'il me paraissait nécessaire et urgent d'élaborer un nouveau paradigme permettant de mieux comprendre ce qui était en train de se passer. La deuxième était qu'une analyse

1. Fonds d'investissement non coté à vocation spéculative (*N.d.T.*).
2. Fonds de dotation (*N.d.T.*).

détaillée de la question me serait utile pour mes propres choix d'investissement. La troisième — qui a pesé le plus lourd — était que, si j'apportais à point nommé un éclairage bienvenu sur les marchés financiers, la théorie de la réflexivité serait enfin prise au sérieux. Il est certes difficile de passionner les foules pour une construction abstraite, mais l'intérêt du public pour les marchés financiers est vif, surtout lorsque ceux-ci traversent une zone de turbulences. Ces marchés m'avaient déjà servi de laboratoire pour tester ma théorie dans *L'Alchimie de la finance*; la situation actuelle me fournit une excellente occasion de démontrer son importance et sa pertinence.

Le fait que je me sois assigné plusieurs objectifs a rendu l'ouvrage plus complexe qu'il ne l'aurait été si je l'avais consacré uniquement à la crise financière en cours. Je commencerai donc par exposer brièvement ce qu'elle a à à voir avec la réflexivité. Contrairement à ce que dit la théorie économique classique, qui présuppose la connaissance parfaite, ni les acteurs du marché ni les autorités monétaires et budgétaires ne fondent leurs décisions sur la seule connaissance. Leurs idées fausses et leurs erreurs d'interprétation affectent les prix du marché et, plus important encore, les prix du marché affectent les fondamentaux qu'ils sont censés refléter. Les prix ne s'écartent pas de façon aléatoire, comme le prétend aussi le paradigme aujourd'hui dominant, d'un point d'équilibre théorique ; les opinions des acteurs et des régulateurs ne correspondent jamais à la situation réelle. En d'autres termes, les marchés n'atteignent jamais cet équilibre dont la théorie économique postule l'existence. Il existe une relation à double sens, *réflexive*, entre perception et réalité, qui peut donner lieu à des processus cumulatifs à leur début et autodestructeurs à leur fin — autrement dit, à des bulles.

Une bulle se compose d'une tendance dominante et d'un biais également dominant, qui interagissent de façon réflexive. Il y a ainsi eu une bulle immobilière aux États-Unis, mais la crise actuelle ne se résume pas à son éclatement. Elle est de plus grande ampleur que chacune des crises financières que nous avons périodiquement connues, et qui s'inscrivent dans ce que j'appelle une «super-bulle»: un processus réflexif de long terme, qui s'est déroulé au cours du dernier quart de siècle. La tendance dominante de cette super-bulle a été l'expansion du crédit; son biais dominant a été le fondamentalisme de marché, qui n'est autre que le *laisser-faire* du XIXe siècle. Les crises précédentes ont en quelque sorte servi de «tests concluants», qui ont eu pour effet de renforcer à la fois cette tendance et ce biais. La crise actuelle constitue le tournant, le moment de vérité où l'une comme l'autre se révèlent non viables.

Tout cela requiert naturellement des développements plus fournis. Après un bref résumé des faits, je consacrerai la première partie de ce livre à la théorie de la réflexivité, qui dépasse largement la question des marchés financiers. Sans doute paraîtra-t-elle aride aux lecteurs qui s'intéresseraient exclusivement ou principalement à la crise actuelle, mais ceux qui feront l'effort de la lire tout de même la trouveront, je l'espère, enrichissante. Elle est mon principal centre d'intérêt, l'œuvre de toute ma vie. Ceux qui ont lu mes précédents ouvrages observeront que j'en ai repris certains passages, car mes arguments demeurent. Dans la seconde partie, je m'efforcerai d'éclairer la situation actuelle en m'appuyant à la fois sur mon cadre conceptuel et sur mon expérience pratique de gestionnaire de *hedge fund*.

Les faits

Le début de l'actuelle crise financière peut être daté officiellement d'août 2007. C'est à ce moment, en effet, que les banques centrales ont dû intervenir pour injecter des liquidités dans le système bancaire. La BBC a synthétisé comme suit le déroulement du processus[1] :

— Le 6 août, American Home Mortgage, l'une des principales sociétés indépendantes de crédit immobilier des États-Unis, engage une procédure de faillite après avoir licencié plus de la moitié de son personnel. La société se dit victime de l'effondrement du marché immobilier américain, effondrement qui a pris de court de nombreux emprunteurs et prêteurs du secteur dit *subprime*[2].

— Le 9 août, les marchés du crédit à court terme sont suspendus après qu'une grande banque française, BNP

1. « Timeline Sub-Prime Losses : How Did The Sub-Prime Crisis Unfold ? » BBC News (news.bbc.co.uk./1/hi/business/7096845.stm).
2. Crédits hypothécaires dont le risque est plus élevé du fait de la moindre qualité des emprunteurs. L'appellation *subprime* (« au-dessous de la catégorie supérieure ») est un euphémisme (*N.d.T.*).

Paribas, a suspendu la cotation de trois de ses fonds d'investissement, d'un montant total de 2 milliards d'euros, en invoquant des difficultés sur le marché américain des crédits *subprime*. BNP Paribas déclare ne pouvoir en évaluer les actifs, le marché ayant de fait cessé d'exister. La Banque centrale européenne (BCE) injecte 95 milliards d'euros dans le système bancaire de la zone euro pour parer au resserrement du crédit dû aux *subprimes*. La Réserve fédérale des États-Unis (Fed) et la Banque du Japon prennent des mesures similaires.

— Le 10 août, la BCE injecte 61 milliards d'euros supplémentaires. La Fed annonce qu'elle fournira autant d'argent au jour le jour que nécessaire pour combattre le resserrement du crédit.

— Le 13 août, la BCE injecte 47,7 milliards d'euros sur les marchés financiers, soit son troisième apport d'argent frais en trois jours ouvrables. Les banques centrales des États-Unis et du Japon procèdent également à de nouvelles injections. Goldman Sachs fait part de son intention de mettre 3 milliards de dollars supplémentaires dans un de ses *hedge funds*, touché par la contraction du crédit, afin de le soutenir.

— Le 16 août, Countrywide Financial, principal établissement de crédit hypothécaire des États-Unis, utilise la totalité des 11,5 milliards de dollars de sa ligne de crédit. L'établissement australien Rams reconnaît également avoir un problème de liquidité.

— Le 17 août, la Fed baisse d'un demi-point son taux d'escompte (taux d'intérêt auquel elle prête aux banques), afin d'aider les établissements aux prises avec des problèmes de crédit. (Mais cela ne suffit pas. Les banques centrales des pays riches se résolvent donc à injecter davantage d'argent pour des périodes plus longues et à accepter en garantie une gamme de titres plus diverse que jamais auparavant.)

— Le 13 septembre, on annonce que Northern Rock, première banque hypothécaire britannique, est au bord de l'insolvabilité, ce qui provoque une fuite des épargnants, phénomène inconnu au Royaume-Uni depuis un siècle.

La crise a été lente à venir, mais elle aurait pu être anticipée plusieurs années plus tôt. Elle trouve son origine dans l'éclatement de la bulle Internet à la fin de 2000. La Fed y avait répondu en ramenant le taux des fonds fédéraux[1] de 6,5 % à 3,5 % en l'espace de quelques mois seulement. Puis est venue l'attaque terroriste du 11 septembre 2001. Pour prévenir les perturbations dont l'économie risquait d'être victime, la Fed a continué de baisser le taux des fonds fédéraux, qui a atteint 1 % en juillet 2003 et est resté à ce niveau — le plus bas depuis un demi-siècle — durant plus d'un an. Cela signifie que, pendant trente et un mois consécutifs, le taux d'intérêt réel — c'est-à-dire corrigé de l'inflation — à court terme a été négatif.

Le crédit bon marché a engendré une bulle immobilière, une explosion des LBO[2], ainsi que d'autres excès.

1. Taux auquel les banques américaines se prêtent mutuellement leur surplus de réserves déposées auprès des banques de la Réserve fédérale (N.d.T.).
2. *Leveraged Buy Out* : rachat d'entreprise à crédit avec effet de levier (N.d.T.).

Lorsque l'argent est facile à trouver, un prêteur rationnel continue de prêter jusqu'à ce qu'il n'ait plus personne à qui prêter. Les prêteurs hypothécaires ont donc assoupli leurs conditions d'octroi de prêts et inventé de nouveaux moyens de stimuler l'activité — et de percevoir au passage des frais bancaires. Les banques d'affaires de Wall Street ont développé toute une variété de techniques nouvelles pour se défausser du risque sur d'autres investisseurs en quête de rendements élevés, comme les fonds de pension et les fonds communs de placement. Elles ont également créé les SIV[1] afin de maintenir hors bilan leurs propres positions.

Entre 2000 et le milieu de 2005, la valeur vénale des logements existants s'est accrue de plus de 50 %, et le secteur de la construction s'est emballé. Selon les estimations de Merrill Lynch, près de la moitié de la croissance du PIB américain, au cours du premier semestre 2005, était liée à l'immobilier, soit directement par la construction et les achats induits tels que l'ameublement, soit indirectement par le surplus de consommation que permettait le refinancement hypothécaire. Martin Feldstein, ancien président du Council of Economic Advisers, estime ainsi que les consommateurs américains, entre 1997 et 2006, ont pu emprunter plus de 9 milliards de dollars du seul fait de la revalorisation de leur patrimoine immobilier. Selon une étude pilotée en 2005 par Alan Greenspan, ces apports ont financé, au cours des

---

1. *Structured Investment Vehicles* : véhicules d'investissement structuré (*N.d.T.*).

années 2000, 3 % de l'ensemble de la consommation des ménages. Au premier trimestre 2006, l'extraction de capital immobilier atteignait près de 10 % du revenu individuel disponible[1].

L'augmentation de plus de 10 % par an des prix des logements a nourri la spéculation. Quand on s'attend à ce que la valeur des biens progresse davantage que le coût du crédit, il paraît raisonnable d'acheter au-delà de ce dont on a besoin pour se loger. En 2005, 40 % de l'ensemble des achats immobiliers n'étaient pas destinés à servir de résidence principale, mais de placement ou de résidence secondaire[2]. Étant donné que la croissance en termes réels du revenu moyen était anémique dans les années 2000, les bailleurs de fonds ont rivalisé d'ingéniosité pour que le coût de l'immobilier paraisse abordable. Les instruments les plus populaires étaient les ARM[3] avec taux initial (dit *teaser*) inférieur aux taux du marché pendant les deux premières années. Le principe était qu'au bout de ces deux années, au moment où commencerait à s'appliquer un taux plus élevé, l'hypothèque pourrait être refinancée grâce à la hausse de la valeur du

1. *The Economist*, 10 septembre 2005 ; Martin Feldstein, « Housing, Credit Markets and the Business Cycle », document de travail n° 13471 du National Bureau of Economic Research, octobre 2007 ; Alan Greenspan, James Kennedy, « Estimates of Home Mortgage Origination, Repayments, and Debts on One-to-Four-Family Residences », document de travail n° 2005-41 de la Réserve fédérale (données actualisées jusqu'en 2007 par J. Kennedy et fournies à l'auteur).

2. Joseph R. Mason, Joshua Romer, « How Resilient Are Mortgage Backed Securities to Collateralized Debt Obligation Market Disruption ? », conférence prononcée devant le Hudson Institute, Washington D.C., 15 février 2007.

3. *Adjustable Rate Mortgages* : hypothèques à taux révisables (*N.d.T.*).

bien, permettant au prêteur de prélever au passage des frais supplémentaires. Les conditions de solvabilité des emprunteurs se sont effondrées, et le recours au crédit hypothécaire a été très largement facilité pour des gens présentant de faibles garanties, sans être forcément tous pauvres. Les prêts dits «Alt-A» (également surnommés «prêts pour menteurs»), accordés sur la base de dossiers des plus minces, voire inexistants, étaient chose courante ; le cas extrême était celui des prêts dits «ninja» (*no income, no job, no assets*[1]), souvent consentis avec la complicité active des courtiers en hypothèques et des créanciers eux-mêmes.

Les banques se sont débarrassées de leurs hypothèques les plus risquées en les restructurant dans des titres appelés CDO[2]. Les CDO drainaient les flux de trésorerie de milliers de titres hypothécaires vers des séries d'obligations découpées en plusieurs tranches, aux risques et aux rendements variant selon les goûts des différents investisseurs. Les tranches supérieures avaient une liquidité maximale, de façon à pouvoir être notées AAA. Les tranches du bas, elles, supportaient tous les risques, mais le rendement était plus élevé. En fait, les banques comme les agences de notation avaient gravement sous-estimé les risques inhérents à des absurdités telles que les prêts «ninja».

La titrisation était censée réduire les risques grâce

---

1. «Ni revenu, ni emploi, ni actifs» (*N.d.T.*).
2. *Collateralized Debt Obligations* : obligations garanties par des ensembles d'actifs comprenant généralement des crédits bancaires, des obligations et des CDS (*N.d.T.*).

au découpage en tranches et à la diversification géographique. En réalité, elle les a aggravés en transférant la propriété des hypothèques de banquiers qui connaissaient leurs clients à des investisseurs qui ne les connaissaient pas. Les prêts, au lieu d'être octroyés par des banques ou des caisses d'épargne qui les conservaient ensuite dans leurs bilans, leur étaient apportés par des courtiers, puis confiés temporairement à des « banques hypothécaires » sous-capitalisées, avant d'être revendus en bloc à des banques d'affaires, qui les restructuraient pour en faire des CDO, lesquels étaient évalués par des agences de notation puis bradés à des investisseurs institutionnels. Tout l'intérêt financier du processus, du début à la fin, reposait sur la facturation de frais bancaires, d'autant plus élevés que le volume était important. La perspective de percevoir des frais bancaires sans courir aucun risque a encouragé des pratiques commerciales laxistes et trompeuses. Dans le secteur des *subprimes*, où les clients étaient peu expérimentés et mal informés, les pratiques frauduleuses étaient même fréquentes. Le terme de « taux *teaser*[1] » est en soi révélateur.

À partir de 2005 environ, la titrisation est devenue un processus incontrôlé. Il était facile et rapide de créer des « titres » synthétiques, présentant les mêmes apparences de risque que des titres classiques, sans avoir besoin pour cela de racheter et de regrouper des prêts réels. Les produits financiers à risque ont ainsi pu se développer bien au-delà de l'offre réelle du marché. Des ban-

---

1. « Aguicheur », voire « allumeur » (*N.d.T.*).

ques d'affaires entreprenantes ont découpé des CDO en tranches pour en faire des «CDO au carré», voire des «CDO au cube», si bien que les tranches supérieures des CDO mal notés pouvaient néanmoins accéder à la note AAA. On en est ainsi arrivé à ce qu'il y ait davantage de dettes AAA qu'il n'y avait d'actifs AAA, et à ce que les produits financiers synthétiques représentent plus de la moitié du volume des transactions.

Loin de se limiter aux hypothèques, la folie de la titrisation s'est étendue à d'autres segments du crédit. Le premier marché de produits synthétiques est, de loin, celui des CDS[1], instrument financier des plus opaques, inventé en Europe au début des années 1990. Les premiers CDS étaient des contrats bilatéraux sur mesure entre banques. La banque A, vendeuse de *swap* (et acheteuse de protection), acceptait de verser régulièrement, pendant une durée donnée, une prime convenue à la banque B, acheteuse de *swap* (et vendeuse de protection), pour un portefeuille donné de prêts. La banque B s'engageait, de son côté, à dédommager la banque A des éventuels défauts de paiement qui surviendraient sur ce portefeuille pendant la durée de vie du *swap*. Avant la création des CDS, une banque qui voulait diversifier son portefeuille devait acheter ou revendre des fractions de prêts, ce qui était difficile car l'autorisation de l'emprunteur était requise ; c'est la raison pour laquelle ce moyen de diversification est devenu si apprécié. Les clauses en ont été standardisées par la suite, et le total

---

1. *Credit Default Swaps*: contrats dérivés sur défaut de crédit (*N.d.T.*).

de la valeur notionnelle des contrats s'est accru jusqu'à atteindre 1 000 milliards de dollars environ en 2000.

Les *hedge funds* ont fait irruption sur le marché au début des années 2000. Les *hedge funds* spécialisés agissaient dans les faits comme des assureurs sans licence, collectant des primes sur les CDO ou les autres titres qu'ils assuraient. La valeur de l'assurance était souvent discutable, car les contrats pouvaient être transférés sans même que les contreparties en soient avisées. Ce marché a connu une croissance exponentielle, au point d'éclipser en termes nominaux tous les autres. La valeur nominale totale des CDS en cours est estimée à 42 600 milliards de dollars, soit presque l'équivalent du patrimoine immobilier privé aux États-Unis. À titre de comparaison, la capitalisation boursière du pays est de 18 500 milliards de dollars, le marché des valeurs du Trésor de 4 500 milliards seulement.

La titrisation a entraîné un développement considérable du recours à l'effet de levier. Alors que le dépôt de garantie est fixé à 10 % pour les obligations ordinaires, les obligations de synthèse émises par les CDS ne requièrent qu'un dépôt de 1,5 %. Cela a permis à des *hedge funds* de faire des bénéfices plus que convenables en tirant parti des écarts de risque sur une base démultipliée, ce qui a eu pour effet de réduire les primes de risque.

Tout cela ne pouvait que mal finir. Il existait un précédent auquel se référer : le marché des CMO[1], qui s'était

1. *Collateralized Mortgage Obligations* : obligations hypothécaires garanties par des sûretés réelles (*N.d.T.*).

développé à partir des années 1980. En 1994, le marché, dans ses tranches les plus mal notées — les «déchets toxiques», comme on les surnommait alors — a explosé le jour où un *hedge fund* pesant 2 milliards de dollars n'a pas pu répondre à un appel de marge, conduisant à la disparition de la société de courtage Kidder Peabody et à des pertes totales de quelque 55 milliards de dollars. La réglementation n'a pas été renforcée pour autant. En 2000, un ancien gouverneur de la Fed, Edward M. Gramlich, a averti en privé le président de celle-ci, Alan Greenspan, de comportements contestables sur les marchés hypothécaires *subprime*, mais cette mise en garde a été ignorée. Gramlich a réitéré ses préoccupations en 2007, cette fois publiquement, et fait paraître un livre sur la bulle des *subprimes* juste avant que la crise n'éclate. Charles Kindleberger, spécialiste des bulles, a émis des avertissements similaires en 2002. Martin Feldstein, Paul Volcker (ancien président de la Fed) et Bill Rhodes (dirigeant de Citibank) ont tous trois fait état d'un risque de baisse des cours. Nouriel Rubini a même prédit que la bulle immobilière conduirait à une récession en 2006. Mais personne, moi y compris, n'a anticipé l'ampleur que prendrait la bulle ni sa durée. Comme l'a récemment relevé le *Wall Street Journal*, de nombreux *hedge funds* ont joué la baisse de l'immobilier, mais ils ont «subi des pertes si douloureuses en attendant l'effondrement» que la plupart se sont résolus à abandonner leurs positions[1].

1. *Wall Street Journal*, 27 février 2008 et 15 janvier 2008; *New York Times*, 26 octobre 2007.

Les premiers signes de dérèglement ont commencé à se manifester dès le début de 2007. Le 22 février, HSBC a licencié le chef de son département des prêts hypothécaires, et reconnu des pertes s'élevant à 10,8 milliards de dollars. Le 9 mars, DR Horton, le premier constructeur d'immobilier résidentiel des États-Unis, a annoncé des pertes liées aux *subprimes*. Le 12 mars, New Century Financial, l'un des principaux prêteurs de *subprimes*, a vu la cotation de ses actions suspendue, dans un contexte de rumeurs quant à une éventuelle faillite de la société. Le 13 mars, on a annoncé que les retards de paiement et les saisies immobilières avaient atteint des niveaux sans précédent. Le 16 mars, Accredited Home Lenders Holding a revendu pour 2,7 milliards de dollars de *subprimes*, avec une forte décote, afin de dégager des liquidités pour ses activités ordinaires. Le 2 avril, New Century Financial s'est placé sous la protection de la loi sur les faillites après avoir été contraint de racheter pour plusieurs milliards de dollars de créances douteuses[1].

Le 15 juin 2007, Bear Stearns a annoncé que deux de ses *hedge funds* hypothécaires avaient des difficultés à répondre à des appels de marge, et ouvert à contrecœur une ligne de crédit de 3,2 milliards de dollars pour tirer d'affaire l'un d'eux, laissant l'autre péricliter et consumer l'argent des souscripteurs, soit un montant total de 1,5 milliard de dollars. L'affaire a violemment secoué les marchés, mais le président de la Fed, Ben Bernanke, ainsi

1. « Bleak Housing Outlook for US Firm », BBC News, 8 mars 2007 (news.bbc.co.uk/2/hi/business/6429815.stm).

que d'autres responsables, ont affirmé que le problème des *subprimes* restait un phénomène isolé. Les cours se sont stabilisés, tandis que les mauvaises nouvelles continuaient d'affluer. Le 20 juillet, Bernanke estimait encore à 100 milliards de dollars seulement les pertes liées aux *subprimes*. Lorsque Merrill Lynch et Citigroup ont procédé à d'importantes dépréciations d'actifs sur leurs propres CDO, les marchés ont même connu un rebond salvateur, et l'indice Standard and Poor's 500 a atteint un nouveau record à la mi-juillet.

Ce n'est qu'au début du mois d'août que les marchés financiers ont vraiment pris peur. Le choc s'est produit lorsque Bear Stearns a placé deux de ses *hedge funds* exposés sur le marché des *subprimes* — ceux dont il a été question plus haut — sous la protection de la loi sur les faillites et empêché ses clients de se retirer d'un troisième.

Une fois la crise déclarée, les marchés se sont dégradés à une allure accélérée. Une étonnante accumulation de faiblesses s'est révélée dans un laps de temps remarquablement bref. Ce qui avait commencé avec les hypothèques *subprime* mal notées s'est bientôt étendu aux CDO, notamment à ceux constitués à partir de la tranche supérieure des *subprimes*. Les CDO eux-mêmes n'étaient pas directement négociables, mais il existait des indices négociables, représentatifs des différentes tranches. Les investisseurs qui cherchaient à se couvrir et les détenteurs de positions vendeuses en quête de bénéfices se sont précipités pour vendre ces indices, qui ont baissé de façon précipitée, compromettant la valeur des tranches de CDO qu'ils étaient censés représenter. Les banques d'investissement ont extrait de leurs bilans d'importantes positions sur les CDO pour les placer dans des SIV, lesquels les ont financées en émettant des effets de commerce adossés à des actifs. La valeur des CDO étant compromise à son tour, le marché des effets de commerce adossés à des actifs s'est asséché, et les banques ont dû voler au secours de leurs SIV. La plupart d'entre elles les ont inscrits à leur bilan, inscrivant d'importantes pertes au passage. Il se trouve en outre qu'elles avaient souscrit d'importants engagements de prêts pour financer des LBO. En temps normal, elles auraient restructuré ces prêts dans des CLO[1] et s'en seraient débarrassées, mais le marché des CLO était lui-même aussi mal en point que celui des CDO, de sorte qu'elles se sont retrouvées lestées d'un fardeau de quelque 250 milliards de dollars. Certaines ont laissé leurs SIV péricliter, d'autres sont revenues sur leurs engagements de LBO. Tout cela, conjugué à l'ampleur des pertes essuyées, a eu pour effet d'affoler le marché des actions, dont les cours sont devenus erratiques. Certains *hedge funds*, qualifiés d'«insensibles au marché» car ils exploitaient de petites différences de cours avec un très fort effet de levier, ont cessé de l'être et ont subi des pertes inhabituelles. Ceux qui jouaient le plus sur l'effet de levier ont été anéantis, entachant la réputation de leur maison-mère et déchaînant des actions en justice.

---

1. *Collateralized Loan Obligations* : obligations adossées à des prêts bancaires (*N.d.T.*).

Le système bancaire s'est trouvé soumis à de très fortes tensions. Les banques ont dû inscrire à leurs bilans des éléments supplémentaires, à un moment où leur base en capital était affectée par des pertes imprévues. Elles avaient du mal à évaluer leur degré d'exposition, et plus encore celui de leurs contreparties. Elles étaient donc réticentes à se prêter les unes aux autres, et pressées d'engranger des liquidités. Au début, les banques centrales ont eu du mal à injecter des liquidités suffisantes, car les banques d'investissement évitaient de recourir aux facilités de crédit soumises à conditions, et étaient même réticentes à traiter les unes avec les autres, mais ces obstacles ont fini par être levés : après tout, s'il y a une chose que savent faire les banques centrales, c'est fournir des liquidités. Seule la Banque d'Angleterre a subi une déconvenue majeure en tentant de sauver Northern Rock, un prêteur hypothécaire surexposé, avant de se résoudre à nationaliser l'établissement, dont les engagements sont donc venus gonfler la dette publique britannique, faisant franchir à celle-ci les limites imposées par le traité de Maastricht.

Malgré cette injection de liquidités, la crise refusait de s'atténuer. Les primes de risque continuaient de s'amplifier. Presque toutes les grandes banques — Citigroup, Merrill Lynch, Lehman Brothers, Bank of America, Wachovia, UBS, Crédit Suisse — ont procédé à d'importantes dépréciations d'actifs au quatrième trimestre, et la plupart en ont annoncé de nouvelles en 2008. AIG et le Crédit Suisse l'ont même fait à plusieurs reprises, donnant ainsi l'impression, fâcheuse mais justifiée, d'avoir perdu le contrôle de leur bilan. L'annonce par la Société Générale, le 25 janvier 2008, d'une perte de marché de 7,2 milliards de dollars a coïncidé avec un record de ventes d'actions et avec une baisse exceptionnelle de 75 points de base du taux des fonds fédéraux, huit jours avant la réunion ordinaire du comité de politique monétaire de la Fed, au cours de laquelle le taux a été réduit à nouveau de 50 points de base. Tout cela était sans précédent.

Le désarroi s'est étendu de l'immobilier résidentiel à l'immobilier commercial, au crédit automobile, aux cartes de crédit. Les difficultés des *monoliners*[1], traditionnellement spécialisés dans les emprunts des collectivités locales, mais qui s'étaient aventurés à assurer des produits structurés ou dérivés, ont perturbé ce marché. Un autre problème non résolu, encore plus important, est en train d'apparaître sur le marché des CDS.

Les États-Unis ont surmonté, au cours des dernières décennies, plusieurs crises financières majeures, comme la crise internationale des années 1980 ou la crise des caisses d'épargne du début des années 1990. Mais la crise actuelle est d'une tout autre nature. Elle s'est étendue d'un segment du marché à d'autres segments, ceux notamment qui recourent aux produits financiers structurés ou dérivés. Aussi bien le degré d'exposition des grands établissements financiers que leur base en capital sont en cause, et ces incertitudes sont sans doute

---

1. Rehausseurs de crédit (établissements financiers apportant leur garantie à des organismes qui émettent des emprunts sur le marché financier) *(N.d.T.)*.

appelées à demeurer longtemps sans réponse. Le fonctionnement régulier du système financier s'en trouve entravé, ce qui est lourd de conséquences pour l'économie réelle.

Or, les marchés financiers comme les autorités de régulation ont mis beaucoup de temps à reconnaître que l'économie réelle serait inévitablement affectée. Cette réticence est difficile à comprendre. Pourquoi l'économie réelle, qui a été stimulée par l'expansion du crédit, devrait-elle ne pas subir les effets de son resserrement ? On a du mal à s'empêcher de penser que les autorités comme les acteurs du marché vivent sur des idées fausses quant à la façon dont celui-ci fonctionne, et que ces idées fausses sont à l'origine non seulement de leur incapacité à comprendre ce qui se passe, mais encore des excès qui ont conduit aux turbulences actuelles.

Mon propos est de démontrer que le système financier international tout entier repose sur des bases erronées. L'assertion pourrait paraître provocante, si n'était plus provocante encore celle selon laquelle les erreurs de conception sont le lot non seulement des marchés financiers, mais de *toutes* les constructions humaines.

Dans une première partie, j'exposerai le cadre conceptuel permettant de comprendre le fonctionnement des marchés financiers. Dans la seconde, j'appliquerai ce cadre aux événements que nous vivons.

I

Vue d'ensemble

1

L'idée centrale

Je pars du principe que notre compréhension du monde est intrinsèquement imparfaite, du fait même que nous en faisons partie. Ce n'est certes pas le seul facteur susceptible d'interférer avec notre capacité à accéder à la connaissance du monde naturel, mais notre appartenance au monde constitue un redoutable obstacle à notre compréhension de l'humain.

Les gens dotés d'une compréhension imparfaite interagissent de deux façons avec la réalité. D'une part, ils cherchent à comprendre le monde dans lequel ils vivent. C'est ce que j'appelle la fonction cognitive. D'autre part, ils cherchent à influer sur le monde et à modifier leur situation à leur avantage. C'est ce que j'ai appelé la fonction participative, mais que je juge désormais plus approprié, pour différentes raisons, d'appeler fonction manipulatrice. Si les deux fonctions opéraient isolément l'une de l'autre, elles pourraient parfaitement atteindre leur but : la compréhension des acteurs pourrait mériter le nom de connaissance, et leurs actions aboutir aux résultats souhaités. Il est donc tentant de supposer que tel est bien le cas. C'est d'ailleurs le postulat qui est généralement posé, notamment par la théorie économique, mais il n'est pas justifié, sauf lorsque les gens font un effort particulier pour maintenir séparées les deux fonctions. Cette dernière attitude est courante chez les chercheurs en sciences sociales, tout entiers absorbés par la quête de la connaissance, mais elle l'est moins chez les acteurs impliqués dans les événements que ces chercheurs étudient. Or, pour des raisons que nous examinerons plus tard, les sciences sociales, et la science économique en particulier, ont tendance à négliger ce biais.

Lorsque les deux fonctions opèrent en même temps, elles sont susceptibles d'interférer l'une avec l'autre. La fonction cognitive, pour produire de la connaissance, doit traiter les phénomènes sociaux comme des données autonomes ; c'est à cette condition *sine qua non* que ces phénomènes peuvent être considérés comme des faits, auxquels les énoncés de l'observateur sont susceptibles de correspondre. De même, les décisions, pour aboutir aux résultats désirés, doivent être fondées sur la connaissance. Mais lorsque les deux fonctions opèrent simultanément, les phénomènes ne se limitent pas aux faits : ils incluent également des intentions et des attentes concernant l'avenir. Or, si le passé peut être déterminé de façon unique et définitive, l'avenir, lui, est tributaire des décisions des acteurs. Ceux-ci ne peuvent donc fonder leurs décisions sur la connaissance, car ils ont affaire non seulement à des faits, présents ou passés, mais aussi à des contingences concernant l'avenir. Le rôle que jouent ces dernières dans les phénomènes sociaux établit une relation à double sens entre la pensée des acteurs et la situation dont ils sont partie prenante, ce qui produit sur l'une comme sur l'autre un effet délétère, en introduisant dans le cours des événements un élément de contingence ou d'incertitude et en empêchant les opinions des acteurs de prétendre au rang de connaissance.

Une fonction, pour être déterminée de façon unique, a besoin d'une variable indépendante, qui détermine la valeur de la variable dépendante. Dans la fonction cognitive, c'est la réalité qui est supposée être la variable indépendante, et la pensée des acteurs la variable dépendante ; dans la fonction manipulatrice, c'est l'inverse. Lorsque les deux fonctions opèrent simultanément, chacune des deux prive l'autre de la variable indépendante dont elle a besoin pour aboutir à un résultat déterminé. J'ai donné à cette interférence réciproque le nom de *réflexivité*. Les situations réflexives se caractérisent par une absence de correspondance entre les opinions des acteurs et la réalité. Prenons le cas de la Bourse. Les gens y achètent et y vendent des actions en anticipant leurs cours futurs, mais ces cours sont eux-mêmes tributaires des attentes des investisseurs, lesquelles ne peuvent être qualifiées de connaissance. Les acteurs sont donc obligés, faute de connaissance, d'introduire un élément de jugement, c'est-à-dire un biais, dans leur processus de décision. Il s'ensuit que le résultat obtenu est susceptible de s'écarter de celui attendu.

La théorie économique a fait tout son possible pour éliminer la réflexivité de son champ d'étude. Au début, les économistes classiques supposaient simplement que les acteurs du marché fondaient leurs décisions sur la connaissance parfaite, laquelle est d'ailleurs l'un des postulats sur lesquels repose la théorie de la concurrence pure et parfaite. Ils ont construit des courbes d'offre et de demande, et affirmé que les décisions des acteurs étaient régies par ces courbes. Puis, lorsque cette construction a été contestée, ils se sont réfugiés derrière une convention méthodologique. Lionel Robbins, que j'ai eu comme professeur à la London School of Economics, prétendait que la science économique avait pour seul objet d'étudier la relation entre la demande et l'offre, et que ce qui entrait dans la composition de l'une et de l'autre n'était pas de son ressort[1]. En considérant la demande et l'offre comme des données indépendantes, il éliminait du même coup toute relation réflexive possible entre les deux. Cette approche a ensuite été poussée à son extrême par la théorie des anticipations rationnelles, qui revient d'une certaine façon à dire que les prix peuvent eux aussi être déterminés de façon indépendante, sans être tributaires des biais ni des erreurs de jugement auxquels sont sujets les acteurs du marché.

J'affirme quant à moi que la théorie des anticipations rationnelles constitue une interprétation totalement erronée du fonctionnement des marchés financiers. Or, même si elle n'est plus guère prise au sérieux en dehors des milieux universitaires, l'idée que les marchés finan-

---

1. Lionel Robbins, *Essai sur la nature et la signification de la science économique*, Librairie de Médicis, 1947.

ciers se corrigent eux-mêmes et tendent vers l'équilibre reste le paradigme dominant, sur lequel ont été
construits les actuels produits financiers synthétiques
et les modèles mathématiques qui leur sont attachés —
produits et modèles qui en sont venus à jouer un rôle
prépondérant.

La vérité est que les acteurs sont incapables de fonder
leurs décisions sur la connaissance. La relation réflexive,
à double sens, qui existe entre la fonction cognitive et
la fonction manipulatrice introduit dans l'une et dans
l'autre un élément d'incertitude ou d'indétermination.
Cela vaut aussi bien pour les acteurs du marché que
pour les autorités qui ont en charge la politique macroéconomique et sont censées surveiller et réguler les marchés. Les premiers comme les secondes agissent sur la
base d'une compréhension imparfaite de la situation
dont ils sont partie prenante. Nous ne pouvons éliminer
cet élément d'incertitude, car il est inhérent à la relation
à double sens entre fonction cognitive et fonction manipulatrice, mais notre compréhension de la situation et
notre capacité à y faire face se trouveraient grandement
améliorées si nous en prenions conscience.

J'en arrive ainsi à l'idée centrale de mon cadre conceptuel. Elle est que les phénomènes sociaux sont structurellement différents des phénomènes naturels. Dans les
seconds, il existe une chaîne de causalité reliant directement chaque facteur au suivant. Dans les premiers,
le cours des événements est plus complexe. La chaîne
de causalité ne comprend pas seulement les faits, mais
aussi les opinions des acteurs et les interactions entre ces

opinions. Il existe une relation réciproque entre les faits et les opinions dominantes à chaque instant donné : les acteurs cherchent d'une part à comprendre la situation (qui inclut à la fois des faits et des opinions), et d'autre part à influer sur elle. L'interaction entre la fonction cognitive et la fonction manipulatrice perturbe la chaîne de causalité, laquelle, au lieu de conduire directement d'une série de faits à la suivante, affecte les opinions des acteurs en même temps qu'elle les reflète. Ces opinions ne correspondant pas aux faits, elles introduisent dans le cours des événements un élément d'incertitude qui est absent des phénomènes naturels, et qui affecte à la fois les faits et les opinions des acteurs. Cela ne signifie pas que les phénomènes naturels soient entièrement déterminés par des lois scientifiques à validité universelle : ainsi, le principe d'incertitude de Heisenberg ne détermine pas le comportement des ondes ou des particules quantiques, mais affirme simplement que leur comportement ne peut être déterminé. C'est un principe d'incertitude analogue qui, d'une certaine façon, est à l'œuvre dans les phénomènes sociaux.

Mon explication de l'élément d'incertitude inhérent aux phénomènes sociaux s'appuie sur la *théorie de la vérité comme correspondance* et sur le concept de réflexivité. Celui-ci a été employé par les logiciens pour désigner la relation qu'un objet a avec lui-même. Je l'emploie dans un sens quelque peu différent, pour décrire une relation à double sens entre la pensée des acteurs et la situation dont ils sont partie prenante.

La théorie de la vérité comme correspondance part

du principe suivant : la connaissance est constituée d'énoncés vrais ; un énoncé est vrai si et seulement s'il correspond aux faits. Pour être en correspondance, les faits et les énoncés qui se réfèrent à eux doivent être mutuellement indépendants. Or, cette exigence ne peut être satisfaite lorsque nous faisons partie du monde que nous cherchons à comprendre. C'est ce qui fait que les acteurs ne peuvent fonder leurs décisions sur la connaissance. Ils doivent pallier cette connaissance qui leur fait défaut au moyen de conjectures fondées sur l'expérience, l'instinct, l'émotion, le rituel, et autres biais. Ce sont les jugements biaisés et les idées fausses des acteurs qui introduisent dans le cours des événements un élément d'incertitude.

Tout cela, à vrai dire, tombe sous le sens. Plus mystérieuses sont les raisons pour lesquelles le concept de réflexivité n'est pas universellement reconnu. S'agissant des marchés financiers, je crois connaître la réponse : parce qu'il empêcherait les économistes de produire des théories qui expliquent et prédisent le comportement des marchés financiers de la même façon que les scientifiques peuvent expliquer et prédire les phénomènes naturels. Pour asseoir et défendre le statut de l'économie en tant que science, les économistes se sont évertués à éliminer la réflexivité de leur champ d'étude. Je soutiens pour ma part que, les phénomènes sociaux étant structurellement différents des phénomènes naturels, c'est une erreur que de vouloir modeler la science économique sur la physique newtonienne.

Lorsque sont en cause d'autres domaines de la réalité,

je me sens moins assuré, car ma connaissance de la littérature philosophique qui leur a été consacrée est moindre. J'ai toutefois l'impression que les philosophes se sont attaqués de différentes façons à la question de la réflexivité : Aristote, par exemple, distinguait la raison théorique (c'est-à-dire la fonction cognitive) de la raison pratique (c'est-à-dire la fonction manipulatrice). Mais la plupart, justement parce que philosophes, étaient trop préoccupés par la première pour prêter une attention suffisante à la seconde.

Certains philosophes ont identifié et exploré l'incertitude cognitive associée aux énoncés autoréférents. Le problème a été soulevé pour la première fois par Épiménide le Crétois, avec sa célèbre assertion : « Les Crétois sont des menteurs. » Le paradoxe du menteur a conduit Bertrand Russell à distinguer entre les énoncés autoréférents et les autres. Les philosophes analytiques ont également étudié les problèmes liés aux « actes de langage », c'est-à-dire aux énoncés ayant un effet sur la situation à laquelle ils se réfèrent, mais ils se sont surtout intéressés à l'aspect cognitif de la question. L'existence d'une différence structurelle entre phénomènes sociaux et phénomènes naturels n'a pas reçu de véritable reconnaissance. Au contraire, Karl Popper, qui a pourtant été pour moi une source majeure d'inspiration, professait le principe de l'unité de méthode, selon laquelle les mêmes méthodes et critères valent pour l'étude des phénomènes naturels et des phénomènes sociaux. D'autres conceptions ont naturellement été avancées, mais c'est celle qui prévaut chez les chercheurs en sciences sociales aspirant au même statut que les chercheurs en sciences de la nature. Ce n'est pas le cas de tous : les anthropologues et la plupart des sociologues ne songent nullement à imiter les sciences de la nature. Mais ils sont moins influents que ceux qui s'y efforcent.

La théorie de la réflexivité vise à éclairer la relation entre pensée et réalité. Elle ne s'applique qu'à un segment relativement étroit de celle-ci. Dans le domaine des sciences de la nature, les événements se produisent indépendamment de ce que l'on en pense ; il est donc possible d'expliquer et de prévoir le cours des événements avec une certitude raisonnable. La réflexivité ne vaut que pour les phénomènes sociaux — et en particulier pour les situations dans lesquelles les acteurs ne peuvent fonder leurs décisions sur la connaissance — et crée aux sciences sociales des difficultés qui sont épargnées aux sciences de la nature.

La réflexivité peut s'interpréter comme une relation soit circulaire, soit rétroactive entre les opinions des acteurs et la réalité. Les individus fondent leurs décisions non sur la situation réelle à laquelle ils sont confrontés, mais sur leur perception ou leur interprétation de cette situation. Leurs décisions produisent sur elle des effets (c'est la fonction manipulatrice), et ces effets sont susceptibles de modifier en retour leur propre perception (c'est la fonction cognitive). Les deux fonctions opèrent concomitamment, et non successivement. S'il en était autrement, cela produirait une séquence, déterminée de façon unique, menant des faits aux perceptions, puis à de nouveaux faits, puis à de nouvelles perceptions, et ainsi de suite. C'est la simultanéité des deux processus qui crée une indétermination, tant dans les perceptions des acteurs que dans la réalité même. Cette façon d'envisager la réflexivité nous sera très utile, comme nous le verrons plus loin, pour comprendre le comportement des marchés financiers. Qu'il y ait circularité ou rétroaction est sujet à discussion ; ce qui compte, c'est que l'interaction soit à double sens. La circularité n'est pas une erreur d'interprétation : au contraire, c'est son déni qui en est une. La théorie de la réflexivité vise précisément à la corriger.

Les difficultés des sciences sociales ne sont que de pâles reflets de celles que rencontrent les acteurs, et dont elles découlent. Les acteurs peuvent agir sur le cours des événements, influencer l'avenir par leurs décisions, mais non fonder ces dernières sur la connaissance. Ils sont obligés de se forger une vision du monde, qui ne saurait raisonnablement correspondre à la réalité. Il leur faut agir, *nolens volens*, sur la base de croyances qui ne sont pas ancrées dans celle-ci. Aussi les interprétations erronées de la réalité et les idées fausses de toute sorte jouent-elles dans le cours des événements un rôle bien plus grand qu'on ne veut bien l'admettre. Telle est la principale idée neuve qu'offre la théorie de la réflexivité. L'actuelle crise financière en est un exemple éclatant.

Avant d'exposer cette théorie plus en détail, je crois utile de raconter comment, au fil des ans, j'ai été amené à la développer. Elle a mûri, ainsi que le verra le lecteur, au fur et à mesure de mon expérience personnelle. J'ai appris très jeune à quel point des idéologies fondées sur de fausses prémisses étaient susceptibles de transformer la réalité. J'ai aussi appris qu'il est des époques où les règles normales ne s'appliquent pas, et où l'anormal devient normal.

2

Autobiographie d'un philosophe raté

Je me suis toujours intéressé à la philosophie. J'ai eu envie, dès mon plus jeune âge, de comprendre qui j'étais, le monde où j'étais né, le sens de ma vie, et surtout, lorsque j'en suis devenu conscient, la perspective de ma mort. J'ai lu les philosophes classiques sitôt parvenu à l'adolescence, mais la période la plus importante de ma vie reste celle qui a commencé avec l'occupation de la Hongrie par les nazis en 1944 et s'est achevée avec mon émigration vers l'Angleterre en 1947.

L'année 1944 a été l'expérience formatrice de ma vie. Je n'en ferai pas un récit détaillé, car mon père s'en est chargé bien mieux que je ne saurais le faire[1]. Imaginez un garçon de quatorze ans, issu d'une famille de la classe moyenne, et qui se trouve soudain confronté à la perspective d'être déporté et tué pour la seule raison qu'il est juif. Mon père, fort heureusement, était très bien préparé à vivre dans des conditions que j'appellerais

---

1. Tivadar Soros, *Masquerade: Dancing around Death in Nazi-Occupied Hungary*, New York, Arcade Publishing, 2001.

44

« éloignées de l'équilibre ». Son expérience formatrice à lui a été de vivre en Sibérie la période de la révolution russe. Il a d'abord été un jeune homme plein d'ambition, qui, lorsque la Première Guerre mondiale a éclaté, s'est porté volontaire pour servir dans l'armée austro-hongroise et a été fait prisonnier par les Russes, lesquels l'ont emmené en Sibérie. Comme il était toujours un jeune homme plein d'ambition, il est devenu rédacteur en chef du journal des prisonniers du camp. Ce journal s'appelait *La Planche* car tous les articles, manuscrits, étaient affichés sur une planche derrière laquelle leurs auteurs, cachés, écoutaient les commentaires des lecteurs. Mon père est devenu si populaire que les prisonniers l'ont élu délégué. Puis, un jour, des prisonniers d'un camp voisin se sont évadés, et leur délégué a été fusillé à titre de représailles. Au lieu d'attendre qu'il lui arrive la même chose, mon père a pris les devants et constitué un petit groupe dont il a organisé l'évasion. Son plan consistait à construire un radeau et à se laisser dériver jusqu'à la mer, mais sa connaissance de la géographie était défaillante : il ne savait pas que les fleuves de Sibérie ont leur cours orienté vers le nord. Ses compagnons et lui ont ainsi dérivé plusieurs semaines avant de comprendre qu'ils se dirigeaient vers l'Arctique, et il leur a fallu plusieurs mois pour rejoindre la civilisation à travers la taïga. Entre-temps, la révolution avait éclaté, et ils se sont trouvés rattrapés par l'histoire. Ce n'est qu'après de longues péripéties que mon père a pu regagner la Hongrie ; s'il était resté au camp, il serait rentré chez lui bien plus tôt.

Mon père était un autre homme lorsqu'il est revenu. Son expérience de la révolution russe l'avait profondément affecté. Il n'était plus le jeune homme ambitieux qu'il avait été, et n'aspirait à rien d'autre qu'à jouir de l'existence. Il a transmis à ses enfants des valeurs très différentes de celles du milieu dans lequel il vivait. Il n'avait aucun désir de faire fortune ni de réussir socialement, et ne travaillait que dans la mesure où il en avait besoin pour joindre les deux bouts. Je me souviens qu'il m'a envoyé un jour chez son plus gros client pour lui emprunter un peu d'argent en vue de partir en vacances aux sports d'hiver ; cela l'a mis de mauvaise humeur pour plusieurs semaines, car après, il allait falloir rembourser. Nous vivions dans une aisance raisonnable, mais nous n'étions pas une famille bourgeoise conventionnelle, et nous en étions fiers.

Lorsque, le 19 mars 1944, les Allemands ont occupé la Hongrie, mon père savait que nous ne vivions pas une époque normale, et que les règles normales n'avaient plus cours. Il a procuré de fausses identités à un certain nombre de familles, dont la sienne. Moyennant finance pour ses clients ; gratuitement pour les autres. La plupart ont survécu. Ce fut « la plus belle heure de son histoire ».

Vivre sous une fausse identité a été pour moi une expérience grisante. Nous étions confrontés à un danger mortel, on mourait autour de nous, et nous en sommes sortis non seulement vivants mais victorieux, du fait que nous avons pu aider les autres. Nous avions les anges avec nous, et nous avons triomphé d'une adversité accablante. J'avais pleinement conscience des dangers, mais je ne croyais pas qu'ils puissent m'atteindre. C'était un peu comme être un des héros des *Aventuriers de l'Arche perdue*. À quatorze ans, que rêver de mieux ?

Après la grande aventure des persécutions nazies, l'existence a perdu progressivement de son éclat sous l'occupation soviétique. Au début, l'excitation continuait, et nous parvenions à nous tirer avec succès de situations potentiellement périlleuses. Le consulat de Suisse employait mon père comme officier de liaison avec les forces d'occupation russes. Les Suisses ayant alors la charge des intérêts alliés, c'était une position-clé. Mais lorsque les Alliés ont ouvert leurs propres bureaux de représentation, mon père s'est retiré, devinant qu'il serait trop exposé s'il travaillait pour eux. C'était une sage décision — qui lui épargna des ennuis par la suite. Mais pour un gamin qui avait fini par s'habituer à une vie d'aventures, l'atmosphère devenait terne, pesante. Je trouvais en outre malsain, pour un garçon de quinze ans, de penser exactement comme son père de cinquante ans. Je lui ai donc dit que je voulais partir. Il m'a demandé où j'avais envie d'aller. Je lui ai répondu : « À Moscou, pour voir ce que c'est que le communisme, ou à Londres, à cause de la BBC. » Il m'a dit : « Je connais par cœur l'Union soviétique, je peux tout te raconter. » Restait Londres. S'y rendre n'était pas facile, mais j'y suis arrivé en septembre 1947.

Le début de ma vie londonienne a été une rude déconvenue. Je n'avais ni argent ni amis. Ma vie aventureuse avait fait de moi un jeune homme présomptueux, mais auquel personne ne s'intéressait. J'étais simplement un intrus qui cherchait à se faire une place et découvrait la solitude. Un jour, j'ai fini par être à court d'argent. J'étais en train de manger un morceau dans un Lyons Corner House, et une fois l'addition payée il ne me restait plus rien. Je me suis dit : «Voilà, j'ai touché le fond, maintenant je ne peux que remonter. Ce sera une expérience précieuse.» Depuis, j'ai toujours fait en sorte de ne plus toucher le fond.

J'ai travaillé comme garçon de bains dans une piscine de Brentford en attendant d'être admis à la London School of Economics, et pendant ce temps j'ai beaucoup lu et beaucoup réfléchi. L'une de mes lectures de cette époque était *La Société ouverte et ses ennemis* de Karl Popper. Ce livre a été pour moi une révélation. Popper y affirmait que les idéologies nazie et communiste avaient en commun de prétendre posséder la vérité ultime. Celle-ci étant hors de portée de l'homme, elles se fondaient nécessairement sur une interprétation biaisée et déformée de la réalité ; elles ne pouvaient donc être imposées à la société que par des méthodes répressives. Popper leur opposait un autre mode d'organisation sociale, fondé sur la reconnaissance du fait que la vérité ultime est hors de notre portée et que nous avons besoin d'institutions permettant à des gens ayant des opinions et des intérêts différents de vivre en paix. Il appelait cela la *société ouverte*. Comme je venais de vivre les occupations allemande et soviétique, je suis devenu un fervent partisan de cet idéal.

Je me suis alors plongé plus profondément dans la

philosophie de Popper, qui est d'abord et avant tout un philosophe des sciences. Il affirme que les théories scientifiques ne peuvent être vérifiées à proprement parler : elles doivent être considérées comme des hypothèses, sujettes à réfutation ; tant qu'elles ne sont pas réfutées, elles peuvent être acceptées provisoirement comme vraies. L'asymétrie entre vérification et réfutation fournit une solution au problème, insoluble autrement, de l'induction : comment un nombre, même élevé, d'observations ponctuelles pourrait-il suffire à vérifier une théorie qui prétend à la validité universelle ? Remplacer la vérification par la réfutation élimine le besoin de recourir à la logique inductive. Je considère cette idée comme une contribution majeure de Popper à la philosophie des sciences.

Que j'aie été très influencé par la philosophie de Popper ne signifie pas que je n'aie pas lu d'autres auteurs, ni que je fasse miennes toutes ses positions. Je suis en désaccord, en particulier, avec ce que Popper appelle le principe d'unité de méthode — selon lequel les mêmes méthodes et critères valent pour les sciences de la nature et pour les sciences sociales. Je soutiens en effet qu'il existe entre elles une différence fondamentale : les sciences sociales traitent de phénomènes qui ont des acteurs pensants. Ces acteurs fondent leurs décisions sur une connaissance imparfaite, et leur faillibilité fait obstacle à leur compréhension des phénomènes sociaux, obstacle qui n'existe pas pour les phénomènes naturels. C'est pourquoi les sciences sociales ont besoin de recourir à des méthodes et à des règles quelque peu différentes de celles des sciences de la nature. Sans doute n'est-il pas possible de tracer une ligne de démarcation absolue et définitive entre les deux — où situer, par exemple, la médecine évolutionniste ou la psychologie évolutionniste ? Reste que la différence entre phénomènes naturels et phénomènes sociaux joue un rôle central dans ma vision du monde, ainsi que je m'en suis expliqué au chapitre précédent.

Ma philosophie a évolué au cours des ans, mais elle a commencé à prendre forme alors que j'étais encore étudiant de premier cycle à la London School of Economics. J'étudiais la théorie économique. Comme je n'étais pas très fort en mathématiques, cela m'a conduit à contester les postulats sur lesquels étaient fondés les modèles quantitatifs des économistes. La théorie de la concurrence pure et parfaite, notamment, présupposait la connaissance parfaite, et ce présupposé était en conflit frontal avec l'affirmation de Popper selon laquelle notre compréhension est intrinsèquement imparfaite. Par la suite, la théorie économique a dû renoncer au postulat de la connaissance parfaite, mais elle l'a remplacée par d'autres postulats lui permettant de produire des généralisations à validité universelle, comparables à celles de Newton en physique. Ces postulats sont devenus de plus en plus alambiqués, donnant naissance à un monde imaginaire qui ne reflète que certains aspects de la réalité et en exclut d'autres : le monde des modèles mathématiques, décrivant un hypothétique équilibre de marché. Pour ma part, je m'intéressais davantage au monde réel qu'à celui des modèles mathématiques, et c'est ce qui m'a conduit à développer le concept de réflexivité.

La théorie de la réflexivité ne produit pas de résultats comparables à ceux de la physique newtonienne ; elle identifie, en revanche, un élément d'indétermination inhérent aux situations dans lesquelles les acteurs agissent sur la base d'une compréhension imparfaite. Au lieu de tendre universellement à l'équilibre, les marchés financiers suivent un cours unidirectionnel spécifique. Il peut exister des schémas qui tendent à se répéter, mais le cours réel est à la fois indéterminé et unique. La théorie de la réflexivité est, en d'autres termes, une théorie de l'histoire. Mais elle n'a pas l'outrecuidance de se prétendre scientifique, car elle ne fournit pas d'explications et de prédictions déterministes. Elle est simplement un cadre conceptuel aidant à la compréhension des événements qui ont des acteurs humains. Elle m'a néanmoins servi lorsque je suis devenu, quelques années plus tard, un professionnel de la finance. Et elle m'a encore guidé dans mes activités philanthropiques, lorsque mes succès sur les marchés financiers m'ont permis de créer une fondation.

Mes explorations philosophiques ne m'ont que peu servi lorsque j'étais étudiant. J'ai été reçu de justesse à mes examens. J'aurais voulu rester entre les murs protecteurs de l'*alma mater* — il a même été question que je devienne assistant à l'université du Michigan, mais je n'avais pas d'assez bonnes notes, et j'ai dû quitter le monde académique pour le monde réel. Après plusieurs faux départs, j'ai fini par travailler comme

arbitrage trader, d'abord à Londres puis à New York[1].
J'ai dû, pour faire mon métier, commencer par oublier
tout ce que j'avais appris comme étudiant, mais ma formation universitaire s'est finalement révélée très utile.
J'ai notamment pu appliquer ma théorie de la réflexivité pour échafauder un scénario de déséquilibre, ou
un schéma *boom-bust* appliqué aux marchés financiers.
J'ai été récompensé de cet effort lorsque les marchés
sont entrés dans ce que j'appelle une zone « éloignée de
l'équilibre », c'est-à-dire lorsque les modèles d'équilibre
communément admis jusqu'alors se sont effondrés. Je
me suis spécialisé dans la détection et l'exploitation des
situations éloignées de l'équilibre, avec un succès qui
m'a amené à publier *L'Alchimie de la finance*, où j'ex-
posais mon approche. J'avais choisi le mot « alchimie »
pour insister sur le fait que ma théorie ne satisfaisait pas
aux exigences canoniques de la méthode scientifique.

J'aurais du mal à dire dans quelle mesure mon succès financier était dû à ma théorie, car ce qui la caractérise, c'est justement qu'elle ne fournit pas de prédictions
solides. Gérer un *hedge fund*, c'est exercer en permanence son jugement dans un environnement à risques,
activité qui peut finir par être très éprouvante. Je souf-
frais de maux de dos et autres affections psychosomati-
ques, et ma colonne vertébrale m'adressait des signaux

---

1. L'*arbitrage trading* consiste à exploiter les écarts de prix entre des marchés interdépendants. Ces écarts peuvent se produire entre différents lieux
(par exemple : Tokyo ou Johannesburg contre New York), ou entre différents titres (par exemple : obligations convertibles ou warrants contre actions
ordinaires).

tout aussi précieux que ma philosophie. Je n'en accordais pas moins une grande importance à cette dernière, et en particulier à ma théorie de la réflexivité. Je lui étais d'ailleurs si attaché qu'il m'a été très difficile de me dessaisir d'elle en la couchant sur le papier et en la publiant. Aucune formulation ne trouvait grâce à mes yeux.

Exprimer mes idées en quelques phrases, comme je le fais ici, m'aurait paru sacrilège. Il fallait que j'en fasse un livre. Mais, à mesure que je fourbissais mes arguments, ils devenaient de plus en plus amphigouriques, au point que je n'arrivais même plus à comprendre ce que j'avais écrit la veille au soir. C'est alors, comme je l'ai souvent raconté, que j'ai abandonné mes spéculations philosophiques pour me consacrer à la spéculation financière, et que je me suis mis à gagner beaucoup d'argent. Mais la médaille avait son revers : lorsque j'ai repris mon travail de réflexion et que j'en ai publié les résultats dans *L'Alchimie de la finance*, nombre de critiques ont rejeté toute la partie philosophique, y voyant la simple vanité d'un spéculateur enrichi. Je me suis donc considéré comme un philosophe raté, mais je n'en ai pas moins persisté. Devant donner à l'université de Vienne une conférence intitulée « Un philosophe raté fait une nouvelle tentative », je me suis retrouvé dans une grande salle, toisant le public depuis une chaire qui surplombait l'auditorium. Survolté par ce décorum, j'ai proclamé *ex cathedra*, sous l'impulsion du moment, la doctrine de la faillibilité. C'était la meilleure partie de ma conférence.

Certaines de mes difficultés à formuler mes idées étaient inhérentes aux concepts mêmes de faillibilité et de réflexivité. Rétrospectivement, il est certain que je n'étais pas assez précis dans mes formulations et que je tendais à surestimer la valeur de ma théorie. Cela a permis aux spécialistes dont je contestais les idées d'écarter mes arguments en invoquant des motifs techniques, voire de les ignorer purement et simplement. Mais, inversement, certains lecteurs, ne s'arrêtant pas à ma rhétorique fautive, appréciaient les idées qu'elle exprimait. C'étaient surtout des professionnels des marchés financiers, qui voulaient absolument comprendre les raisons de mes succès, et l'obscurité de mes formulations ajoutait encore à leur fascination. Anticipant le phénomène, mon éditeur a retardé la publication du manuscrit, car il voulait que le livre soit attendu comme le Messie. *L'Alchimie de la finance* est aujourd'hui lu par les acteurs de marché et étudié dans les écoles de commerce, mais totalement passé sous silence dans les facultés d'économie.

Hélas, l'idée que je suis un philosophe raté est relayée par tous ceux qui écrivent sur moi, y compris mon biographe, Michael Kaufman, citant mon fils Robert :

> Mon père va s'asseoir et vous sortir des théories pour expliquer pourquoi il fait ceci ou cela. Mais je me rappelle avoir vu ça enfant et m'être dit : « Mon Dieu, il y a au moins la moitié de conneries là-dedans. » Je veux dire que la vraie raison pour laquelle il change de position sur le marché ou sur quoi que ce soit, c'est que son dos se remet à le faire souffrir. Ça n'a rien à voir avec la raison. Il entre littéralement en transe, et c'est un signe avant-coureur.

> Quand on reste un certain temps avec lui, on se rend

compte qu'en fait il est en grande partie guidé par ses humeurs. Mais il est toujours en train d'essayer de rationaliser ce qui, au fond, lui vient de ses émotions. Et il vit dans un état perpétuel, je ne dirais pas de déni, mais de rationalisation de son état émotionnel. Et c'est ça qui est très drôle[1].

J'ai moi-même nourri de véritables doutes. J'avais beau prendre ma philosophie très au sérieux, je n'étais pas du tout sûr que ce que j'avais à dire mérite d'être pris au sérieux. J'étais certain de son importance pour moi, mais incertain de sa valeur pour autrui. La question à laquelle s'attaque la théorie de la réflexivité — la relation entre pensée et réalité — est un sujet dont les philosophes discourent depuis l'aube des temps. Reste-t-il vraiment quelque chose de nouveau et d'original à en dire ? Après tout, la fonction cognitive et la fonction manipulatrice sont observables dans la vie réelle ; que peut-il y avoir de si original dans un concept comme celui de la réflexivité, qui, soit dit en passant, existe probablement déjà sous plusieurs autres appellations ? J'avais du mal, étant peu au fait de ce qui avait été écrit sur le sujet, à parvenir à une conclusion solide. Je cherchais désespérément à être pris au sérieux comme philosophe, et c'est cette ambition qui est devenue mon principal obstacle. Je me sentais obligé de continuer à exposer ma philosophie parce que j'avais l'impression qu'elle n'était pas comprise comme il le fallait. Tous mes livres suivaient

1. Michael T. Kaufman, *Soros : the Life and Times of a Messianic Billionaire*, New York, Knopf, 2002.

le même schéma. Ils développaient ma théorie de l'histoire — généralement à la fin pour ne pas décourager le lecteur — et l'appliquaient au moment présent. Avec le temps, j'ai fini par surmonter ma réticence à me dessaisir du concept de réflexivité, et les versions résumées de ma théorie sont devenues plus brèves et, je l'espère, plus claires. Dans mon dernier livre, *Le Grand Désordre mondial*, j'ai mis ma philosophie au début. J'avais décidé que ce serait sa version définitive, pour le meilleur et pour le pire, mais je n'étais toujours pas certain qu'elle mérite d'être prise au sérieux.

Il s'est alors produit quelque chose qui a modifié mon état d'esprit. J'essayais de comprendre comment les techniques de propagande décrites par George Orwell dans *1984* pouvaient fonctionner aussi efficacement dans l'Amérique contemporaine. Dans *1984*, en effet, il y a Big Brother pour vous regarder, un ministère de la Vérité et un appareil de répression pour s'occuper des dissidents, alors que dans l'Amérique contemporaine il y a la liberté de pensée et le pluralisme des médias. Et pourtant, l'administration Bush a réussi à induire le peuple en erreur en recourant à la novlangue orwellienne. J'ai eu l'illumination soudaine que le concept de réflexivité pouvait apporter à la question un éclairage nouveau. J'avais jusqu'alors considéré comme allant de soi que la novlangue ne pouvait s'imposer que dans une société fermée comme celle de *1984*. En pensant cela, je suivais aveuglément les thèses de Karl Popper sur la société ouverte, à savoir que la liberté de pensée et d'expression conduit à une meilleure compréhension de la réalité. Mais le concept de réflexivité repose sur l'existence de la fonction manipulatrice (ex-participative) et sur l'idée que le discours politique peut être utilisé avec succès pour manipuler la réalité. Pourquoi, en effet, les hommes politiques devraient-ils donner la préférence à la fonction cognitive plutôt qu'à la fonction manipulatrice ? Cela se comprend pour un chercheur en sciences sociales qui s'est donné pour but d'accéder à la connaissance, non pour un homme politique qui cherche avant tout à se faire élire et à rester au pouvoir.

Cette intuition m'a fait reconsidérer le concept poppérien de société ouverte, que j'avais adopté de façon peu critique. Mais elle a eu d'autres effets aussi. Elle m'a convaincu que mon cadre conceptuel avait une valeur objective, dépassant mes inclinations personnelles. Les concepts de réflexivité et de faillibilité contribuent de façon importante à notre compréhension du monde, non qu'ils aient en eux-mêmes quoi que ce soit de nouveau ou d'original, mais parce qu'ils peuvent servir à identifier et à réfuter certaines idées fausses aussi répandues qu'influentes. L'une d'elles, que j'appellerai l'illusion des Lumières, consiste à présupposer que le but de la raison est de produire de la connaissance. Je la qualifie d'illusion parce qu'elle ignore la fonction manipulatrice. Mais mon propre exemple montre à quel point la tradition des Lumières est enracinée : en adhérant au concept de société ouverte, j'ai adhéré du même coup à l'illusion des Lumières, alors même que j'ai affirmé, en développant le concept de réflexivité, l'importance de la fonction manipulatrice.

Cette conclusion m'a ôté les doutes que je nourrissais quant à la valeur objective de ma philosophie. C'est alors qu'est survenue l'actuelle crise financière qui est en train de mettre sens dessus dessous le système financier et menace d'engloutir l'économie. Elle est la démonstration *in vivo* des dégâts que peuvent causer des conceptions erronées. La théorie de la réflexivité offre au paradigme actuellement dominant une véritable alternative, car si elle est juste, la croyance que les marchés financiers tendent vers l'équilibre est fausse, et inversement.

Me voici prêt à soumettre mon cadre conceptuel à la critique publique, avec la ferme conviction qu'il mérite attention. Je suis conscient que ses présentations antérieures comportaient des lacunes ; j'espère les avoir comblées, et je crois que l'effort demandé au lecteur pour comprendre ma philosophie en vaut la peine. Inutile de dire que cette perspective me réjouit profondément. J'ai eu la chance de gagner beaucoup d'argent et de pouvoir le dépenser à bon escient. Mais j'ai toujours voulu être un philosophe, et je suis peut-être en train de le devenir. Que demander de plus à la vie ?

3

La théorie de la réflexivité

Le lecteur trouvera peut-être ce chapitre quelque peu répétitif et difficile d'accès. Celui qui s'intéresse exclusivement aux marchés financiers peut passer au chapitre suivant, quitte à revenir en arrière ensuite s'il a trouvé convaincante mon interprétation de la situation actuelle. Mais, du point de vue de l'auteur, il demeure indispensable — et plus important qu'une juste interprétation de la crise financière. Des concepts comme ceux de faillibilité radicale, d'erreur féconde, d'illusion des Lumières ou d'illusion postmoderne sont utiles à la compréhension de la situation actuelle et sont partie intégrante de l'argumentation que je développe dans la deuxième partie.

La faillibilité

Ayant précisé la portée de mon cadre conceptuel, je peux maintenant m'attarder sur certaines complexités que j'ai passées sous silence dans ma présentation sommaire. Je vais d'abord relater brièvement les difficultés que j'ai rencontrées au cours des nombreuses années que j'ai passées à élaborer ma philosophie, et résumer les conclusions auxquelles je suis parvenu.

Je n'ai pas rendu assez claire la relation entre faillibilité et réflexivité. Les individus ne sont pas seulement des observateurs, ils sont aussi des acteurs, et la connaissance à laquelle ils peuvent accéder n'est pas suffisante pour les guider dans leurs décisions. Telle est la réalité que je désigne par le terme de faillibilité. Sans faillibilité il n'y aurait pas de réflexivité — si les individus pouvaient fonder leurs décisions sur la connaissance, l'élément d'incertitude qui caractérise les situations réflexives disparaîtrait — mais la faillibilité ne se limite pas aux situations réflexives. En d'autres termes, la faillibilité est un état global, et la réflexivité un cas particulier.

Notre compréhension est intrinsèquement imparfaite, du fait que nous faisons partie de la réalité et qu'une partie ne saurait pleinement comprendre le tout. En la qualifiant d'imparfaite, je veux dire qu'elle est incomplète et, d'une façon que l'on ne peut définir avec précision, déformée. Le cerveau humain ne peut appréhender la réalité directement, mais seulement à travers l'information qu'il en retire. En outre, sa capacité à traiter l'information est limitée, tandis que la masse d'informations à traiter est presque infinie. Il est donc contraint de ramener à des proportions raisonnables celle dont il dispose, au moyen de procédés divers — généralisations, analogies, métaphores, habitudes, rituels, etc. — qui la déforment mais qui finissent par acquérir une existence propre, rendant la réalité et sa compréhension plus complexes encore.

L'accès à la connaissance suppose que soient séparés la pensée et son objet — les faits doivent être indépendants des énoncés qui s'y réfèrent —, mais cette séparation est difficile à établir lorsque l'on fait partie de ce que l'on étudie. L'idéal est de se placer dans la position d'un observateur distant, et l'homme a accompli des miracles en s'efforçant d'atteindre cette position, mais il ne peut surmonter complètement son appartenance au monde qu'il s'efforce de comprendre.

Depuis que j'ai commencé, il y a plus d'un demi-siècle, à développer mon cadre conceptuel, les sciences cognitives ont fait de grands progrès dans l'explication du fonctionnement du cerveau humain. Je voudrais ici mentionner deux de leurs principaux apports, car ils nous donnent un aperçu de notre faillibilité. Le premier est que, selon George Lakoff, la conscience constitue un enrichissement relativement récent du cerveau humain, et a été surajoutée au cerveau animal. Le second, qui ressort des travaux d'Antonio Damasio, est que raison et émotion sont inséparables. Le langage même que nous utilisons en est le reflet. Les métaphores les plus courantes sont liées, pour l'essentiel, aux fonctions primaires, animales, de la vision et de la locomotion, et ont une connotation émotionnelle. Il est bien vu de monter ou d'avancer, mal vu de descendre ou de reculer ; on apprécie ce qui est clair et droit, moins ce qui est sombre et courbe. Le langage courant donne une vision inexacte et émotionnelle du monde, mais il a le don étrange d'identifier les éléments nécessaires à une prise de décision immédiate. Inversement, la logique et les mathématiques sont plus exactes et plus objectives, mais sont d'un usage limité dans la vie courante. Les idées qu'exprime le langage courant ne sont pas une représentation fidèle de la réalité sous-jacente. Elles accentuent la complexité de la réalité à laquelle les individus ont affaire au cours de leur existence.

La réflexivité

J'ai analysé la relation entre pensée et réalité en introduisant deux fonctions qui les relient et qui opèrent en sens inverse l'une de l'autre. C'est de cette façon que je suis parvenu au concept de réflexivité.

Mais lorsque j'ai voulu définir et expliquer la réflexivité, je me suis heurté à d'énormes difficultés, qui continuent de me troubler aujourd'hui. J'ai fait une distinction entre pensée et réalité, alors que ce que je voulais dire est que la pensée fait partie de la réalité. Alors même que j'évoquais une relation à double sens entre le cours des événements et la pensée des acteurs, j'excluais une telle relation entre les opinions des différents acteurs. Je n'ai trouvé d'autre solution que de distinguer l'aspect objectif de la réalité de ses aspects subjectifs. Le premier se réfère au cours des événements, les seconds aux opinions des acteurs. Il n'existe qu'un seul aspect objectif, mais il existe autant d'aspects subjectifs que d'acteurs, et les relations interpersonnelles directes entre les acteurs ont davantage de probabilité d'être réflexives que l'interaction entre perceptions et événements, car ces derniers se déploient sur une plus longue période.

Cette distinction faite, il nous faut aussi distinguer entre processus réflexifs et énoncés réflexifs, ces derniers appartenant au domaine des relations interpersonnelles directes. Prenons un énoncé relevant de l'aspect objectif de la réalité : « Il pleut. » Soit il est vrai, soit il est faux, mais il n'est pas réflexif. Prenons maintenant un énoncé tel que : « Tu es mon ennemi. » Qu'il soit vrai ou faux dépend de la façon dont on y réagit. C'est en cela qu'il est réflexif. Les énoncés réflexifs ressemblent aux énoncés autoréférents, à ceci près que l'indétermination est inhérente non à leur sens mais à l'effet qu'ils produisent. Le plus célèbre des énoncés autoréférents est le paradoxe du menteur, dû à Épiménide : « Les Crétois sont des menteurs. » Si l'énoncé est vrai, alors le philosophe crétois ment, et son énoncé est donc faux. Sa validité est sans rapport avec son effet. Inversement, celle d'un énoncé tel que : « Tu es mon ennemi » dépend de notre réaction à cet énoncé.

Dans le cas d'un processus réflexif, l'indétermination provient de l'absence de correspondance entre les aspects objectifs et subjectifs d'une situation. Une situation peut être réflexive même si les fonctions cognitive et manipulatrice opèrent de façon consécutive et non simultanée. Le processus évolue alors au cours du temps, mais il peut être qualifié de réflexif à condition que ni la pensée des acteurs ni la réalité ne restent inchangées à la fin du processus, et que les modifications résultent d'une idée fausse ou d'une interprétation erronée des acteurs, introduisant dans le cours des événements un élément véritable d'indétermination. Il s'ensuit qu'une telle situation ne peut être prédite à partir de lois scientifiques.

Les marchés financiers sont le terrain qui permet le mieux de démontrer et d'étudier la réflexivité, car ils sont supposés régis par de telles lois. Mais, même sur les marchés financiers, ce n'est que par intermittence que se produisent des processus dont on peut démontrer le caractère réflexif. Ils semblent obéir à certaines règles statistiques lorsqu'on les observe dans leur évolution quotidienne, mais il arrive aussi que ce ne soit pas le cas. Nous pouvons donc distinguer entre les événements quotidiens, routiniers, qui sont statistiquement prévisibles, et les processus réflexifs, qui ne le sont pas. Or, ces derniers sont d'une grande importance, car ce sont eux qui modifient le cours de l'histoire. J'en avais d'abord conclu que les événements historiques se distinguaient des événements quotidiens par leur caractère réflexif, mais ce raisonnement ne tient pas. Il existe en effet de nombreux événements historiques, comme les tremblements de terre, qui ne sont pas réflexifs. La distinction entre routine et réflexivité se révèle tautologique : par définition, un processus réflexif ne laisse jamais inchangés les aspects objectifs ou subjectifs de la réalité.

Du fait des progrès des sciences cognitives et de la linguistique, le concept de réflexivité s'est trouvé supplanté dans une certaine mesure. La réflexivité ne fait intervenir, en effet, que deux fonctions : la fonction cognitive et la fonction manipulatrice. La classification est quelque peu grossière en comparaison des analyses, nettement plus fouillées et nuancées, des fonctions du cerveau et du langage qui sont apparues ces dernières années. Mais le concept n'a pas perdu de sa pertinence. Il pointe une distorsion dans la façon dont les philosophes et les scientifiques considèrent le monde. Leur souci premier est la cognition ; dans la mesure où la fonction manipulatrice interfère avec le bon fonctionnement de celle-ci, ils sont enclins à l'ignorer ou à l'écarter délibérément. La théorie économique en est le meilleur exemple. La théorie de la concurrence pure et parfaite a été fondée sur le postulat de la connaissance parfaite. Lorsque ce postulat s'est révélé intenable, les économistes se sont livrés à des contorsions de plus en plus élaborées pour protéger des effets malfaisants de la réflexivité l'édifice qu'ils avaient érigé. C'est ainsi que le postulat de la connaissance parfaite a fait place à la théorie des anticipations rationnelles — un monde de fiction, sans ressemblance aucune avec la réalité. Nous y reviendrons au prochain chapitre.

Le principe d'incertitude humaine

La caractéristique essentielle de la réflexivité est qu'elle introduit un élément d'incertitude dans la pensée des acteurs et un élément d'indétermination dans la situation dont ils sont partie prenante. Elle présente une certaine ressemblance avec le principe d'incertitude théorisé par Werner Heisenberg en physique quantique, à cette notable différence près que la physique quantique étudie des phénomènes qui n'ont pas d'acteurs pensants. La découverte par Heisenberg du principe d'incertitude n'a pas changé d'un iota le comportement des particules ou des ondes quantiques, tandis que la conscience de la réflexivité est susceptible de modifier le comportement humain. L'incertitude associée à la réflexivité affecte donc non seulement les acteurs mais aussi les chercheurs en sciences sociales, qui cherchent à expliquer le comportement humain par des lois à validité universelle. Cet élément d'incertitude supplémentaire, que l'on pourrait appeler principe d'incertitude humaine, leur complique singulièrement la tâche.

L'illusion des Lumières

La plupart des difficultés auxquelles je me suis heurté en travaillant sur la réflexivité sont dues au fait que je suis tributaire d'un langage qui ignore son existence. J'ai tenté de démontrer l'existence d'une relation à double sens entre la pensée des acteurs et la situation dont ils sont partie prenante, mais la tradition intellectuelle occidentale s'est toujours évertuée à séparer pensée et réalité. Cet effort a abouti à des dichotomies comme celles qui opposent le corps et l'esprit, les idéaux platoniciens et les phénomènes observables, les idées et les conditions matérielles, les énoncés et les faits. La distinction que j'ai introduite entre l'aspect objectif de la réalité et ses aspects subjectifs est de la même eau.

L'origine de ces dichotomies est facile à comprendre : le but de la fonction cognitive est de produire de la connaissance, laquelle repose sur des énoncés correspondant à des faits. Pour établir cette correspondance, énoncés et faits doivent être traités comme des catégories distinctes. C'est pourquoi la quête de la connaissance conduit à séparer pensée et réalité. Ce dualisme, qui trouve ses racines dans la philosophie grecque, domine notre vision du monde depuis l'époque des Lumières.

Les philosophes des Lumières avaient foi en la raison ; ils considéraient la réalité comme distincte et indépendante de la raison, et attendaient de celle-ci qu'elle nous procure un tableau précis et complet de la réalité. Elle était censée fonctionner comme un projecteur, éclairant une réalité qui se serait trouvée là, attendant passivement que nous la découvrions. La possibilité que des décisions d'agents pensants influent sur la situation était écartée, car elle aurait contredit la séparation entre la pensée et son objet. En d'autres termes, les Lumières n'ont pas su prendre conscience de la réflexivité. Elles ont postulé un monde imaginaire, dans lequel la fonction manipulatrice — dont elles n'avaient au demeurant pas conscience — ne pouvait interférer avec la fonction cognitive, la raison d'être de la pensée étant l'accès à la connaissance. *Cogito ergo sum*, disait Descartes, qui se différenciait d'Aristote en ce qu'il s'intéressait à la seule raison théorique, négligeant ce que ce dernier appelait la raison pratique — et qui correspond *grosso modo* à ce que j'appelle la fonction manipulatrice. Il en est résulté une vision déformée de la réalité, mais qui était appropriée au moment où elle a été formulée.

À l'époque des Lumières, l'humanité avait une connaissance relativement faible des forces de la nature et exerçait sur elles un contrôle assez limité, mais la méthode scientifique était riche de promesses infinies, car elle produisait de remarquables résultats. Il était donc approprié de penser la réalité comme attendant d'être découverte : la Terre, après tout, n'avait même pas été explorée tout entière. Réunir les faits et établir des corrélations entre eux était quelque chose de très gratifiant. Les voies d'accès à la connaissance étaient si nombreuses que les perspectives semblaient illimitées. La raison balayait des siècles de superstition, pour assurer le triomphe du progrès.

Les philosophes des Lumières n'assignaient aucune limite à l'accumulation de la connaissance. La relation entre pensée et réalité étant pour eux à sens unique, ils considéraient la seconde comme une donnée indépendante, que l'on pouvait appréhender en totalité au moyen d'énoncés correspondant à des faits. Cette conception, que Popper appelait rationalité globale, a atteint son apogée avec le positivisme logique, doctrine philosophique qui prospérait au début du XXe siècle, en particulier à Vienne. Le positivisme logique soutenait que seuls les énoncés empiriques vérifiables étaient porteurs de sens, et que les considérations métaphysiques en étaient dépourvues. Il traitait faits et énoncés comme appartenant à deux univers distincts. Le seul lien entre les deux univers était que les énoncés vrais correspondaient aux faits, tandis que les énoncés faux ne leur correspondaient pas. Les faits, dans ces conditions, servaient de critère de vérité. C'était le fondement de la théorie de la vérité comme correspondance. La possibilité que les énoncés constituent également des faits était largement, sinon totalement, ignorée. Une grande attention était consacrée au paradoxe du menteur.

Bertrand Russell, philosophe britannique qui a joué un rôle important dans la venue de Ludwig Wittgenstein de Vienne à Cambridge, a proposé une solution à ce paradoxe fameux. Il a établi une distinction entre deux catégories d'énoncés : ceux qui sont autoréférents et les autres. La validité des premiers ne pouvant être déterminée de façon absolue, il a proposé de les exclure de la catégorie des énoncés porteurs de sens. Une telle solution aurait pu aider à préserver la séparation originelle entre faits et énoncés, mais elle aurait empêché les gens de réfléchir à des questions les concernant, voire de prendre conscience d'eux-mêmes. Son absurdité a été dénoncée par Wittgenstein, qui conclut son *Tractatus logico-philosophicus* en écrivant en substance que ceux qui auront compris son livre comprendront *ipso facto* que celui-ci est dépourvu de sens. Wittgenstein a d'ailleurs renoncé peu après à sa recherche d'un langage logique idéal, pour se consacrer à l'étude du fonctionnement du langage courant.

Les erreurs fécondes

La foi des Lumières en la raison avait beau n'être pas entièrement justifiée, elle a néanmoins produit des résultats très impressionnants, qui ont suffi à asseoir leur autorité intellectuelle et morale pour deux siècles. La séparation entre pensée et réalité constitue à cet égard une erreur féconde. Ce n'est pas la seule : les erreurs fécondes sont nombreuses dans l'histoire, et je dirais même que toute civilisation repose sur elles. Elles sont fécondes parce qu'elles prospèrent et donnent des résultats positifs avant que leurs insuffisances soient découvertes ; elles sont des erreurs parce que notre compréhension de la réalité est intrinsèquement imparfaite. Nous sommes certes capables d'accéder à la connaissance ; mais sitôt qu'elle a fait la preuve de son utilité, nous sommes enclins à l'appliquer à des domaines où elle n'a que faire. C'est ainsi qu'elle devient erreur, et c'est ce qui est arrivé à l'idéologie des Lumières, d'ailleurs si profondément enracinée dans notre civilisation occidentale qu'elle imprègne jusqu'aux auteurs les plus critiques de certains de ses aspects — y compris moi-même.

Le schéma poppérien de la méthode scientifique

Karl Popper, qui a fréquenté le cercle de Vienne sans en être membre, était critique vis-à-vis de Wittgenstein, et en désaccord avec la rationalité globale. Il soutenait que la raison n'est pas apte à établir de façon indubitable la validité d'une généralisation. Même les lois scientifiques, disait-il, ne peuvent être vérifiées, car il est impossible de tirer d'observations ponctuelles, quel que soit leur nombre, des généralisations universellement valides au moyen de la logique inductive, et l'attitude qui permet le meilleur fonctionnement de la méthode scientifique est donc le scepticisme global. Les lois scientifiques doivent donc être considérées comme des hypothèses, provisoirement valides tant qu'elles n'ont pas été réfutées.

Popper a consacré à la méthode scientifique un schéma d'une simplicité et d'une élégance remarquables, consistant en trois éléments et trois opérations. Les trois éléments sont les conditions initiales, les conditions finales et les généralisations à validité universelle — c'est-à-dire les lois scientifiques. Les trois opérations sont la prédiction, l'explication et la mise à l'épreuve. En combinant une loi scientifique avec les conditions initiales, on obtient une prédiction ; en la combinant avec les conditions finales, une explication. Prédiction et explication sont donc symétriques et réversibles.

L'élément manquant de ce schéma est la vérification des lois. C'est là qu'intervient l'apport spécifique de Popper à notre compréhension de la méthode scientifique. Il soutient en effet qu'une loi scientifique ne peut être vérifiée, mais seulement réfutée, et que c'est là qu'intervient la mise à l'épreuve. Elle consiste à mettre en regard conditions initiales et conditions finales. S'il y a discordance, la loi est réfutée. Un seul cas de discordance suffit donc à invalider une généralisation, mais aucun nombre de cas de concordance, si élevé soit-il, ne suffit à la valider de façon incontestable. Quant aux énoncés non susceptibles d'être réfutés, ils ne peuvent être qualifiés de scientifiques. Il y a donc asymétrie entre vérification et réfutation. Symétrie entre prédiction et explication, asymétrie entre vérification et réfutation, rôle de la mise à l'épreuve : tels sont les trois principes cardinaux du schéma de Popper.

L'affirmation de Popper selon laquelle une loi scientifique ne peut être vérifiée résout le problème, insoluble autrement, de l'induction. Le soleil se lève à l'est depuis des temps immémoriaux ; pour autant, pouvons-nous être sûrs qu'il continuera toujours d'en être ainsi ? Le schéma de Popper élimine le besoin de vérification, en considérant les lois scientifiques comme provisoirement valides tant qu'elles n'ont pas été réfutées. Les généralisations non susceptibles d'être réfutées ne peuvent être qualifiées de scientifiques. Cette construction, qui insiste sur le rôle central de la mise à l'épreuve dans la méthode scientifique, fournit des arguments à la pensée critique qui permet à la science de se développer, de progresser et d'innover.

De nombreux éléments du schéma de Popper ont été critiqués par les philosophes de profession. Popper affirme par exemple que plus la mise à l'épreuve est rigoureuse, plus la validité de la généralisation qui lui survit est grande. Ses adversaires contestent qu'il soit possible de mesurer cette rigueur et cette validité. En ce qui me concerne, je trouve parfaitement juste l'affirmation de Popper, et j'en veux pour preuve mon expérience de la Bourse. Lors de la crise des caisses d'épargne de 1986 aux États-Unis, un doute sérieux s'est installé quant aux chances de survie de la compagnie d'assurances hypothécaire Mortgage Guaranty Insurance (dite MAGIC). Le cours des actions a chuté précipitamment, et j'ai décidé d'en acheter, jugeant son modèle économique suffisamment sain pour passer avec succès un test rigoureux. Les faits m'ont donné raison, et j'ai réalisé un profit maximum. De façon générale, plus un choix d'investissement va à l'encontre de l'opinion communément admise, plus grand est le profit financier que l'on peut en retirer s'il se révèle fondé. C'est ce qui fait que je réserve au schéma de Popper un accueil plus chaleureux que celui des philosophes de profession.

Contre l'unité de méthode

Popper, bien que défendant l'idée que la vérité ultime est hors de portée de la raison, a insisté sur ce qu'il appelait l'unité de méthode, à savoir l'idée que les mêmes méthodes et critères valent pour l'étude des phénomènes sociaux comme pour celle des phénomènes naturels. Il tombe pourtant sous le sens que ce n'est pas vrai. Les acteurs des phénomènes sociaux agissent sur la base d'une compréhension faillible, et cette faillibilité introduit dans les phénomènes sociaux une incertitude qui n'a pas cours lorsque l'on étudie les phénomènes naturels. C'est cette différence, dont il est essentiel d'avoir conscience, que j'ai cherché à exprimer en introduisant le concept de réflexivité. Il existait déjà celui d'auto-référence, que Bertrand Russell et d'autres ont développé très en détail, mais qui s'applique exclusivement au domaine des énoncés. Or, la séparation entre énoncés et faits n'est pas étanche puisque les premiers font partie des seconds ; un effet similaire existe donc forcément dans le domaine des faits. C'est ce qui fonde le concept de réflexivité. Il a été d'une certaine façon exploré, en linguistique, par Austin et par Searle, mais je l'envisage, pour ma part, dans un cadre bien plus large. La réflexivité est un mécanisme d'interaction réciproque, qui concerne aussi bien les énoncés (en rendant indéterminée leur validité) que les faits (en introduisant un élément d'indétermination dans le cours des événements).

Je confesse avoir été inattentif à la faille essentielle du concept poppérien de société ouverte, qui néglige le fait que le discours politique n'est pas nécessairement orienté vers la quête de la vérité. Si Popper et moi à sa suite avons fait cette erreur, c'est justement à cause de notre passion commune pour la quête de la vérité. L'erreur est cependant réparable, et le plaidoyer en faveur de la pensée critique n'en est pas entaché. Reconnaître l'existence d'une différence entre sciences de la nature et sciences sociales n'empêche nullement de faire de la quête de la vérité l'une des exigences essentielles d'une société ouverte.

L'attitude postmoderne envers la réalité est bien plus dangereuse. Elle a ébranlé la philosophie des Lumières en mettant en évidence le fait que la réalité peut être manipulée, mais elle ne fait pas de la quête de la vérité une exigence. Elle permet donc à la manipulation de la vérité de progresser sans entrave. Quel est le danger ? C'est que, faute d'une compréhension correcte, les résultats de cette manipulation soient radicalement différents des attentes des manipulateurs. L'un des cas les plus réussis de manipulation s'est produit lorsque le président George W. Bush a déclaré la « guerre contre la terreur » et s'en est servi pour envahir l'Irak sur la base de faux-semblants. Le résultat a été l'exact opposé de ce qui était prévu. Le président voulait affirmer la suprématie américaine et engranger ainsi des soutiens politiques ; il n'a fait que précipiter le déclin de la puissance et de l'influence américaines — et perdre une partie de ses soutiens politiques.

Le concept de société ouverte a besoin, pour nous protéger des risques de manipulation, d'être modifié dans une large mesure par rapport à sa formulation originelle. Ce que Popper considérait comme allant de soi doit être érigé en exigence explicite. Il supposait ainsi que le but de la pensée critique était d'accéder à une meilleure compréhension de la réalité. C'est vrai dans le domaine de la science, pas dans celui de la politique. Le but premier du discours politique est d'accéder au pouvoir et de s'y maintenir, et ceux qui n'en ont pas conscience ont peu de chances de se faire élire un jour. La seule façon qu'ont les citoyens de convaincre les hommes politiques d'avoir un plus grand respect pour la réalité est d'insister sur cet aspect en récompensant ceux qu'ils considèrent comme sincères et clairvoyants, et en punissant ceux qui se livrent à une tromperie délibérée. Autrement dit, il faut que les citoyens soient plus attachés à la quête de la vérité qu'ils ne le sont aujourd'hui. Sans un tel engagement, la politique que mènera le parti démocrate ne produira pas les résultats souhaités. Une société ouverte ne peut être plus vertueuse que ne l'est le peuple.

La quête de la vérité

Ayant démontré que la réalité peut être manipulée, il nous est bien plus difficile de nous consacrer à la quête de la vérité que ce n'était le cas à l'époque des Lumières — au moins parce qu'il est plus difficile d'établir ce qu'est la vérité. Les Lumières considéraient la réalité comme une donnée autonome, et donc connaissable ; mais lorsque le cours des événements est tributaire des biais ou des erreurs de jugement des acteurs, la réalité devient une cible mouvante. Au demeurant, il ne va nullement de soi, pour le public, que la quête de la vérité doive prendre le pas sur celle du pouvoir. Et quand bien même les citoyens en seraient convaincus, comment veiller à ce que les hommes politiques restent honnêtes ?

La réflexivité nous donne une partie de la réponse, même si elle laisse cette dernière question sans solution. Elle nous apprend que la quête de la vérité est importante parce que les idées fausses sont susceptibles d'aboutir à des conséquences négatives inattendues. Hélas, c'est un concept qui est loin d'être assimilé, ainsi que l'on peut s'en rendre compte en constatant l'influence considérable qu'ont exercée la tradition des

Lumières et, plus récemment, l'idéologie postmoderniste, sur la vision du monde de nos contemporains. L'une et l'autre interprètent de façon déformée la relation entre pensée et réalité. Si les Lumières ont ignoré la fonction manipulatrice, le postmodernisme verse dans l'excès contraire : considérant la réalité comme un ensemble de récits souvent contradictoires, il accorde une importance trop faible à l'aspect objectif de cette réalité. La réflexivité nous aide à identifier les lacunes de l'une comme de l'autre idéologie. Elle est cependant loin de constituer une représentation parfaite d'une réalité très complexe. Son principal défaut est de chercher à décrire la relation entre pensée et réalité comme une relation entre deux entités distinctes, alors que la première fait, en réalité, partie de la seconde.

Je suis devenu très respectueux de l'aspect objectif de la réalité, pour avoir vécu successivement sous le régime nazi et sous un régime communiste, puis pour avoir spéculé sur les marchés financiers. La seule expérience qui vous apprenne davantage que les marchés financiers à respecter une réalité extérieure sur laquelle vous n'avez pas de prise, c'est la mort — et la mort n'est pas à proprement parler une expérience que l'on puisse faire au cours de sa vie. Il est beaucoup plus difficile à un public qui passe une grande partie de son temps dans la réalité virtuelle de la télévision, des jeux vidéo et du divertissement en général d'éprouver un tel respect. Il est vrai que les Américains font tout ce qu'ils peuvent pour oublier la mort ou la nier. Mais lorsque l'on fait à ce point fi de la réalité, on a de fortes chances d'être rattrapé par elle. Quel meilleur moment pour défendre cette idée que notre époque, où les conséquences négatives, non voulues, de la « guerre contre la terreur » sont si évidentes, et où la réalité virtuelle des instruments financiers synthétiques met sens dessus dessous notre système financier ?

Le postmodernisme

Je n'avais pas prêté grande attention, jusqu'à une date récente, au point de vue postmoderne. Je ne l'ai pas étudié, et je ne l'ai pas entièrement compris, mais j'étais enclin à l'écarter *a priori* parce qu'il me semblait contradictoire avec le concept de réflexivité. Je le considérais comme une réaction excessive à la foi, elle-même excessive, des Lumières en une raison jugée suffisante pour appréhender pleinement la réalité. Je ne voyais pas de lien direct entre la conception postmoderne et les idéologies totalitaires ou la société fermée, même si je me rendais compte que, par son relativisme extrême, elle était susceptible d'encourager leur développement. J'ai changé d'avis depuis peu. Je vois maintenant une relation directe entre le discours postmoderne et l'idéologie de l'administration Bush. L'idée m'est venue en lisant un article publié en octobre 2004 par Ron Suskind dans le *New York Times Magazine* :

> Été 2002 (…) j'ai eu un entretien avec un proche conseiller de Bush. Il m'a fait part du mécontentement

de la Maison Blanche [vis-à-vis de la biographie de Paul O'Neill par Ron Suskind lui-même[1], *N.d.A.*], et m'a dit quelque chose que je n'ai pas entièrement compris sur le moment — mais que je crois maintenant être révélateur de la présidence Bush.

Ce proche conseiller disait que les types comme moi faisaient partie de «ce que nous appelons les adeptes de la réalité», autrement dit ceux qui «croient que les solutions viennent d'une étude pertinente de la réalité perceptible». J'ai hoché la tête et murmuré quelque chose sur les principes des Lumières et sur l'empirisme. Il m'a coupé. «Ce n'est plus comme ça que le monde fonctionne, a-t-il poursuivi. Désormais, nous sommes un empire, et quand nous agissons nous créons notre propre réalité. Pendant que vous ferez l'étude de cette réalité — une étude aussi pertinente que vous voudrez —, nous serons encore en train d'agir, de créer d'autres réalités nouvelles que vous pourrez étudier aussi, et c'est tout. Nous sommes les acteurs de l'histoire (…) et vous, tout ce qui vous restera à faire, tous autant que vous êtes, c'est d'étudier ce que nous faisons[2].»

Le conseiller du président, qui était probablement Karl Rove, non seulement reconnaissait que la vérité pouvait être manipulée, mais érigeait cette manipulation de la vérité en principe supérieur. Une telle approche interfère directement avec la quête de la vérité, à la fois en proclamant son inutilité et en la rendant plus difficile au moyen d'une manipulation constante. Elle aboutit,

---

1. Ron Suskind, *Le Roman noir de la Maison Blanche : les révélations de Paul O'Neill, ex-secrétaire au Trésor*, Saint-Simon, 2004.

2. Ron Suskind, «Without a Doubt», *New York Times Magazine*, 17 octobre 2004.

qui plus est, à restreindre les libertés en recourant à la manipulation de l'opinion publique pour renforcer les pouvoirs et les prérogatives du président. C'est à cela que l'administration Bush travaillait en déclarant la « guerre contre la terreur ».

Je crois que la « guerre contre la terreur » fournit une excellente illustration des dangers inhérents à l'idéologie développée par Karl Rove. L'administration Bush s'est servie de la « guerre contre la terreur » pour envahir l'Irak. La manipulation a été des plus réussies, mais ses conséquences pour les États-Unis et pour l'administration Bush elle-même ne sont pas loin d'être désastreuses.

Les citoyens sont aujourd'hui en train de se réveiller, comme d'un cauchemar, mais que retiendront-ils de l'expérience ? Que la réalité est un dur maître d'apprentissage, et que nous la manipulons à nos risques et périls, tant les conséquences de nos actes sont susceptibles de s'écarter de nos attentes. Si puissants que nous soyons, nous ne pouvons pas imposer notre volonté au monde ; nous avons besoin de comprendre la façon dont il fonctionne. Certes, la connaissance parfaite est hors de notre portée, mais nous devons essayer de nous en approcher le plus possible. La réalité est une cible mouvante, mais cela ne nous dispense pas de chercher à l'atteindre. En d'autres termes, la compréhension de la réalité doit prendre le pas sur sa manipulation.

Or, dans le monde tel qu'il est, c'est la quête du pouvoir qui tend à prendre le pas sur celle de la vérité. Popper et ses disciples — moi y compris — se sont trompés en considérant la quête de la vérité comme allant de soi. Il nous faut reconnaître notre erreur, sans pour autant renoncer au concept de société ouverte. L'expérience de la présidence Bush devrait même nous conduire à militer de plus belle en faveur de la société ouverte comme forme souhaitable d'organisation sociale. Mais pour cela, il nous faut modifier notre définition de ce que suppose une société ouverte. Au-delà des attributs classiques de la démocratie libérale — élections libres, libertés individuelles, séparation des pouvoirs, État de droit, etc. —, elle suppose des citoyens attachés à certains critères d'honnêteté et de sincérité. Encore faut-il que le contenu de ces critères soit élaboré avec soin, puis fasse l'objet d'un consensus général.

Les critères du discours politique

Karl Popper, qui était d'abord et avant tout, comme je l'ai dit, un philosophe des sciences, a élaboré de telles normes pour le discours et l'expérience scientifiques. Un seul exemple : pour être qualifiées de scientifiques, une loi doit être susceptible d'être réfutée, et une expérience d'être reproduite. Ces critères ne peuvent s'appliquer tels quels à la politique ; ils peuvent néanmoins servir d'exemple du genre de règles dont celle-ci doit se doter.

Nous avons identifié deux différences essentielles entre la science et la politique. La première est que la politique vise davantage la quête du pouvoir que celle de la vérité. La seconde est qu'il existe, en matière scientifique, un critère indépendant — les faits — à l'aune duquel il est possible de juger de la vérité ou de la validité des énoncés, alors qu'en politique les faits sont souvent tributaires des décisions des acteurs. En ce sens, la réflexivité jette une pierre dans le jardin du modèle poppérien de la méthode scientifique.

J'ai exprimé, dans *L'Alchimie de la finance*, mon désaccord avec le principe poppérien de l'unité de méthode. J'ai fait valoir que la réflexivité interdit aux sciences sociales de satisfaire aux mêmes critères que les sciences de la nature. Comment attendre de la méthode scientifique qu'elle produise des généralisations susceptibles de fournir des prédictions et des explications déterminées, quand le cours des événements est intrinsèquement indéterminé ? En guise de prédictions déterminées, nous devons nous contenter d'intuitions et de scénarios alternatifs. Il me semble, avec le recul, que j'ai consacré trop de temps au rôle des chercheurs, et pas assez à celui des acteurs. C'est ce qui m'a empêché de remarquer la faille du concept poppérien de société ouverte : la politique vise davantage à la quête du pouvoir qu'à celle de la vérité. Je m'efforce désormais de corriger cette erreur en faisant de la sincérité et du respect de la réalité des exigences explicites d'une société ouverte.

Je n'ai malheureusement aucune solution évidente à proposer quant à la façon de faire respecter ces exigences ; je ne peux que reconnaître qu'il s'agit d'un problème non résolu. Il n'y a rien là que de normal, car il n'est pas de ceux qu'un individu isolé puisse résoudre ; il faut un changement d'attitude de la part du public[1].

Il me semble néanmoins que le discours politique se pliait, au cours des deux premiers siècles de démocratie en Amérique, à des critères plus élevés qu'aujourd'hui en matière de sincérité et de respect des opinions adverses. Je sais bien que les personnes âgées voient généralement le passé sous des couleurs plus roses que le présent, mais je crois pouvoir, en l'espèce, étayer cette affirmation en invoquant l'illusion des Lumières. Tant que les hommes avaient foi en la puissance de la raison, ils avaient foi aussi en la quête de la vérité. Maintenant qu'ils ont découvert que la réalité pouvait être manipulée, cette foi a été ébranlée.

La conclusion, paradoxale, que l'on peut en tirer est que les critères exigeants qui prévalaient alors en politique étaient fondés sur une illusion, et qu'ils ont été sapés par la découverte d'une vérité : le fait que la réalité peut être manipulée. Cette conclusion est encore renforcée par le fait que Karl Rove a réussi à faire le vide, dans l'opinion, autour de ceux qui, encore sous l'emprise de l'illusion des Lumières, cherchaient à convaincre par des arguments rationnels plutôt que d'en appeler à l'émotion sans considération aucune pour les faits. La « guerre contre la terreur » s'est révélée le plus efficace des slogans, car il en appelait à la plus violente des émotions : la peur de la mort.

---

1. Bernard Williams développe d'utiles considérations sur ce sujet dans *Truth and Truthfulness : An Essay in Genealogy*, Princeton University Press, 2002.

S'ils veulent restaurer les critères élevés qui prévalaient autrefois, les citoyens doivent prendre conscience
que la réalité a son importance, quand bien même elle
peut être manipulée. En d'autres termes, ils doivent
prendre conscience de la réflexivité. Ce n'est pas si facile,
car une réalité réflexive est bien plus complexe que celle
que les Lumières cherchaient à connaître. Elle est même
si complexe qu'il n'est jamais possible de la connaître
tout entière. Il n'en est pas moins nécessaire d'en avoir
une meilleure compréhension que ce n'était le cas il y
a deux siècles, et le simple fait de prendre conscience
de la réflexivité serait un grand progrès. C'est ce que
je voulais dire en affirmant, dans mon précédent livre,
qu'il nous fallait passer de l'ère de la raison à l'ère de
la faillibilité.

La faillibilité radicale

Faillibilité et réflexivité sont des idées qu'il n'est pas
facile d'admettre et des réalités dont il est difficile de
prendre conscience. Comme acteurs, nous sommes en
permanence invités à prendre des décisions et à agir.
Mais comment le faire avec un tant soit peu d'assurance,
quand nous savons que nous pouvons nous tromper et
que nos actes peuvent avoir des conséquences négatives non désirées ? Il serait naturellement souhaitable
de pouvoir se reposer sur une doctrine ou un système de
croyances revendiquant la vérité ultime. Hélas, le souhaitable est hors d'atteinte ; la vérité ultime est hors de

portée de l'intellect humain. Les idéologies qui affichent des certitudes absolues sont condamnées à l'erreur, et c'est seulement s'ils en prennent conscience que les gens seront dissuadés d'y adhérer.

Le fait que la vérité ultime soit hors de portée ne disqualifie pas les religions, bien au contraire. Là où s'arrête la capacité d'accéder à la connaissance, s'ouvre en grand le champ des croyances. Affirmer que nous ne pouvons pas fonder nos décisions sur la connaissance, c'est admettre que nous ne pouvons éviter de nous reposer sur des croyances, qu'elles soient religieuses ou profanes. La religion a d'ailleurs joué un rôle important tout au long de l'histoire. La période qui a suivi les Lumières, et durant laquelle la foi en la raison a temporairement éclipsé la religion, constitue une exception. C'est ainsi que le XXᵉ siècle s'est laissé dominer par des idéologies profanes : socialisme, communisme, fascisme, national-socialisme, auxquelles je serais tenté d'ajouter le capitalisme et la foi en le marché. Maintenant qu'apparaît plus clairement le caractère illusoire de la vision du monde héritée des Lumières, les croyances religieuses reviennent au premier plan.

La science ne peut réfuter les idéologies, qu'elles soient religieuses ou profanes, car il est dans la nature de ces idéologies de n'être pas sujettes à réfutation. Mieux vaut cependant agir en nous fondant sur l'hypothèse que nous pouvons nous tromper. Il n'est pas possible de démontrer la fausseté d'un dogme, mais il ne l'est pas davantage de prouver la justesse de notre interprétation.

Je fais mienne, à ce stade, la démarche de Popper. Mais

je serais tenté d'aller plus loin que lui. Popper affirme que nous *pouvons* nous tromper. Je prends comme hypothèse de travail que nous sommes *condamnés* à nous tromper. Je fonde ce postulat, que j'appelle la *faillibilité radicale*, sur l'idée suivante : nous sommes capables d'accéder partiellement à la réalité, mais celle-ci se dérobe à mesure que nous progressons dans sa compréhension. Face à cette cible mouvante, nous sommes tentés de surexploiter la connaissance acquise en l'appliquant à des domaines où elle n'a pas cours. C'est ainsi que les interprétations justes de la réalité sont vouées à donner naissance à des interprétations déformées. Ce raisonnement n'est pas sans rappeler le principe de Peter, selon lequel l'employé compétent est promu jusqu'à ce qu'il atteigne son niveau d'incompétence.

Ma position est étayée par les découvertes de la linguistique cognitive. George Lakoff, entre autres, a montré que le langage usait de métaphores plutôt que d'une logique stricte. Les métaphores fonctionnent par transfert d'observations ou d'attributs d'une série de circonstances vers une autre, et il est presque inévitable que ce transfert aille trop loin. La démarche scientifique en est la meilleure illustration. La science est un mode extrêmement efficace d'acquisition de la connaissance, et semble contredire, à ce titre, le postulat de la faillibilité radicale, à savoir que nous sommes condamnés à nous tromper. Mais la démarche a été poussée trop loin. Les succès mêmes des sciences de la nature ont incité les chercheurs en sciences sociales à faire tout leur possible pour les imiter.

Prenons la théorie économique classique. En recourant au concept d'équilibre, elle imite la physique newtonienne. Mais sur les marchés financiers, où les anticipations jouent un rôle très important, l'affirmation selon laquelle le marché tend vers l'équilibre ne correspond pas à la réalité. La théorie des anticipations rationnelles s'est livrée à des contorsions extrêmes pour créer un monde artificiel où l'équilibre est censé prévaloir, mais où c'est en fait la réalité que l'on ajuste à la théorie, plutôt que l'inverse. C'est typiquement un cas auquel appliquer le postulat de la faillibilité radicale.

Même lorsqu'ils ont échoué à satisfaire aux règles et aux critères de la méthode scientifique, les chercheurs en sciences sociales ont tenté de revêtir leurs théories d'oripeaux scientifiques pour les faire accepter comme telles. Freud et Marx, dans leurs domaines respectifs, prétendaient tous deux que leurs théories déterminaient le cours des événements *parce qu'elles étaient scientifiques*. (À l'époque, on attendait des lois scientifiques qu'elles soient déterministes.) Popper a réussi à les démasquer, Marx en particulier, en montrant que leurs théories ne pouvaient être mises à l'épreuve et n'étaient donc pas scientifiques. Mais il n'est pas allé assez loin. Il n'a pas pris conscience que l'étude des phénomènes sociaux se heurte à un obstacle qui est absent des sciences de la nature — la réflexivité, autrement dit le principe d'incertitude humaine — et que, pour cette raison, l'imitation servile des sciences de la nature n'aboutit pas à une représentation adéquate de la réalité. La théorie de l'équilibre général et celle des anticipations rationnelles sont trop éloignées de la réalité. Elles sont de bons exemples de la façon dont une méthode produisant des résultats valides finit par être exploitée jusqu'au point où ils cessent de l'être.

Mais supposons que mes objections à l'encontre de l'équilibre général et des anticipations rationnelles soient largement reprises, et que ces théories soient abandonnées ; elles ne constitueraient plus des exemples de faillibilité radicale. Cela montre le vice rédhibitoire de mon postulat : il n'est pas nécessairement juste. Popper n'est pas allé assez loin, mais je suis allé trop loin. Nous ne sommes pas condamnés à nous tromper en toutes circonstances. Les idées fausses peuvent se corriger.

Que faire de mon postulat ? On peut le qualifier d'erreur féconde. Il ne peut raisonnablement pas être juste : s'il l'était, il entrerait dans la même catégorie que le paradoxe du menteur. S'il s'agissait d'une théorie scientifique, sa fausseté serait démontrée puisque, selon le schéma de Popper, un seul cas contraire suffit à réfuter une théorie. Mais la faillibilité radicale n'est pas une théorie scientifique : c'est une hypothèse de travail, qui fonctionne remarquablement bien en tant que telle. Elle permet d'identifier les cas où l'on est en présence d'un processus cumulatif à son début et autodestructeur à sa fin, car elle part du principe qu'une idée qui fonctionne bien sera exploitée et surexploitée jusqu'au point où elle ne fonctionnera plus. J'ai d'ailleurs identifié, tout au long de ma carrière d'investisseur, bien plus de séquences *boom-bust* qu'il n'y en a eu réellement. J'ai écarté la plupart par la méthode empirique dite *trial and error* (essai et erreur). Le postulat de la faillibilité radicale met l'accent sur la divergence entre la réalité et sa perception par les acteurs, et s'intéresse aux idées fausses comme facteur de causalité historique. Il aboutit à une interprétation particulière de l'histoire, qui peut être éclairante, comme c'est le cas aujourd'hui. Je considère en effet la « guerre contre la terreur » comme une idée fausse, ou comme une métaphore erronée, dont l'effet sur l'Amérique et sur le monde est délétère. De même, la crise financière actuelle peut être directement attribuée à une interprétation erronée du fonctionnement des marchés financiers.

Le concept de faillibilité radicale et celui d'erreur féconde sont des éléments centraux de ma réflexion. Ils ont une connotation négative, mais qui n'est pas justifiée. Ce qui est imparfait peut être amélioré ; la faillibilité radicale laisse à l'amélioration un champ infini. La société ouverte, selon ma définition, est une société imparfaite qui reste ouverte à l'amélioration. Elle est source d'espoir et de créativité, quand bien même elle est constamment en danger et quand bien même l'histoire est pleine de déceptions. En dépit, donc, d'une terminologie qui peut sembler dépréciative — compréhension imparfaite, faillibilité radicale, illusions fécondes —, ma vision de l'existence est résolument optimiste. Cet optimisme est dû au fait que, de temps à autre, mon cadre conceptuel m'a permis d'apporter des améliorations au monde réel.

4

Réflexivité et marchés financiers

Je me suis cantonné jusqu'à présent au domaine des abstractions. J'ai affirmé l'existence d'une relation à double sens entre pensée et réalité, relation qui, lorsqu'elle est simultanée, introduit un élément d'incertitude dans les opinions des acteurs et d'indétermination dans le cours des événements. Je lui ai donné le nom de réflexivité, et j'ai fait valoir qu'elle permet de distinguer les événements historiques, uniques, des événements quotidiens, routiniers. Il me reste à apporter des preuves concrètes que ces processus réflexifs existent vraiment et qu'ils ont une portée historique.

Je recourrai d'abord pour cela, non à l'histoire politique, mais à celle des marchés financiers. Ces derniers sont en effet un excellent laboratoire, car la plupart des prix et des autres données y sont à la fois publics et quantifiés. L'histoire politique n'est pas moins riche en processus réflexifs, mais ils sont plus difficiles à mettre en évidence et à analyser. Un autre grand avantage des marchés financiers en tant que laboratoire est que ma théorie de la réflexivité est en contradiction frontale avec la théorie, communément admise aujourd'hui encore, selon laquelle les marchés tendent vers l'équilibre. Si la théorie de l'équilibre est juste, la réflexivité ne peut exister. Inversement, si la théorie de la réflexivité est juste, la théorie de l'équilibre est erronée. Le comportement des marchés financiers doit être interprété comme un processus historique passablement imprévisible, plutôt que déterminé par des lois intemporelles. Si on admet cela, alors on peut étendre cette interprétation à d'autres domaines de l'histoire où la réflexivité est moins aisément observable.

J'ai exposé pour la première fois ma théorie, appliquée aux marchés financiers, dans *L'Alchimie de la finance*, mais elle n'a pas été examinée sérieusement par la critique. La situation évolue néanmoins. Les économistes se rendent compte que le paradigme dominant est inadéquat, mais n'en ont pas encore proposé de nouveau. La bulle hypothécaire des *subprimes* qui a éclaté en août 2007, provoquant de grandes perturbations financières, pourrait bien accélérer le mouvement. Je crois que la réflexivité y gagnera une plus large reconnaissance, et que ma théorie apporte quelque chose de nouveau. Les processus réflexifs actuellement à l'œuvre sur les marchés financiers et dans l'économie mondiale sont un aspect important de la réalité à laquelle nous sommes confrontés. Or, le risque qu'ils soient mal compris est très élevé, avec les conséquences négatives que cela peut avoir. C'est une raison de plus pour faire prévaloir la fonction cognitive sur la fonction manipulatrice. Je résumerai ici ma théorie en termes généraux, avant de l'appliquer, dans la deuxième partie, à la situation présente.

La théorie de l'équilibre

La science économique s'efforce d'imiter les sciences de la nature. Elle propose des généralisations à validité intemporelle, qui puissent servir aussi bien à expliquer les phénomènes économiques qu'à les prédire. En particulier, la théorie de la concurrence pure et parfaite, prenant pour modèle la physique newtonienne, détermine un équilibre entre offre et demande, équilibre vers lequel sont supposés tendre les prix du marché. Cette théorie a été construite en tant que système axiomatique, à l'instar de la géométrie euclidienne : elle est fondée sur des postulats, dont toutes les conclusions dérivent par un raisonnement logique ou mathématique. Les postulats reposent sur des conditions idéales, mais les conclusions qui en découlent sont supposées pertinentes pour le monde réel. La théorie affirme que, sous certaines conditions déterminées, la recherche systématique par chaque acteur de son intérêt personnel aboutit à l'allocation optimale des ressources. Le point d'équilibre est atteint lorsque chaque producteur produit une quantité telle que le coût marginal est égal au prix du marché, et que chaque consommateur achète une quantité dont l'utilité marginale est égale au prix du marché. Un calcul mathématique montre que la position d'équilibre maximise le bénéfice de chacun des acteurs. C'est ce raisonnement qui a servi de fondement théorique aux politiques de *laisser-faire* du XIXe siècle, ainsi qu'à la croyance en la « magie du marché » qui a fait l'objet d'un large consensus sous la présidence de Ronald Reagan dans les années 1980.

L'un des postulats clés de la théorie de la concurrence pure et parfaite, dans sa formulation originelle, était la connaissance parfaite. Parmi les autres postulats figuraient l'homogénéité et la divisibilité des produits, ainsi que l'existence d'un nombre suffisant de participants (acheteurs ou vendeurs) pour qu'aucun ne puisse, à lui seul, influencer le prix du marché. Le postulat de la connaissance parfaite est en contradiction absolue non seulement avec la réflexivité, mais aussi avec l'idée de la connaissance imparfaite, défendue de façon si convaincante par Karl Popper. C'est ce qui m'a conduit à contester cette théorie lorsque j'étais étudiant. La notion de connaissance parfaite que mettent en avant les économistes classiques, influencés par ce que j'appelle l'illusion des Lumières, est celle-là même que critique Popper. Mais, les questions épistémologiques devenant à la mode, ils ont jugé nécessaire de recourir à une notion plus modeste : celle d'information. C'est pourquoi la théorie, dans sa formulation moderne, postule simplement une information parfaite[1].

Ce postulat n'est malheureusement pas tout à fait suffisant pour étayer les conclusions de la théorie. Pour combler cette lacune, les économistes modernes ont

---

1. George Stigler, *La Théorie des prix*, Dunod, 1972.

échafaudé un dispositif ingénieux : ils ont insisté sur le fait que les courbes d'offre et de demande sont à considérer comme indépendantes. Ils se sont toutefois gardés de présenter ce nouveau postulat comme tel, préférant justifier leur assertion par des considérations méthodologiques. La mission des économistes, ont-ils prétendu, est d'étudier la relation entre l'offre et la demande, non l'offre en elle-même ou la demande en elle-même. La demande est un bon sujet d'étude pour les psychologues, l'offre en est un autre pour les ingénieurs ou les spécialistes de la gestion, mais ni l'une ni l'autre ne sont du ressort de la science économique : elles sont à considérer comme des données *a priori*. Telle est la théorie qui m'a été enseignée lorsque j'étais étudiant.

Mais si nous réfléchissons, ne fût-ce qu'un instant, à ce qu'implique l'idée que l'offre et la demande sont des données indépendantes, nous voyons bien qu'une hypothèse supplémentaire a été introduite. Si tel n'était pas le cas, d'où proviendraient ces courbes ? Nous avons bien affaire à une hypothèse déguisée en outil méthodologique. Les acteurs sont censés choisir entre des options selon leur échelle de préférences, et l'hypothèse implicite est qu'ils *savent* quelles sont ces préférences et ces options.

Cette hypothèse, je vais m'employer à le démontrer, ne tient pas. Les courbes d'offre et de demande ne peuvent être considérées comme des données indépendantes, puisque toutes deux incorporent les anticipations des acteurs concernant des événements eux-mêmes influencés par lesdites anticipations. Nulle part le rôle des anticipations n'est plus clairement visible que sur les marchés financiers. Les décisions présentes d'achat et de vente se fondent sur des anticipations de prix futurs, lesquels sont tributaires, à leur tour, de ces mêmes décisions.

Parler de l'offre et de la demande comme si elles étaient déterminées par des forces indépendantes des anticipations des acteurs du marché est fallacieux. Les manuels présentent les courbes d'offre et de demande comme reposant sur des preuves empiriques, mais aucune preuve ne vient étayer l'hypothèse de cette indépendance. Quiconque a déjà négocié sur un marché où les prix changent en permanence sait que les acteurs y sont très influencés par les évolutions de ce marché. Des prix en hausse attirent souvent les acheteurs, et inversement. Comment pourrait-il exister des tendances cumulatives si l'offre et la demande étaient indépendantes des prix du marché ? Il suffit d'observer quelque temps les marchés des changes, des actions ou des matières premières pour constater que de telles tendances y sont la règle plutôt que l'exception.

L'idée même que les événements qui se produisent sur un marché puissent modifier les courbes d'offre et de demande paraît pourtant incongrue à ceux qui ont été formés à la théorie économique classique. Si ces courbes, supposées déterminer les prix du marché, étaient elles-mêmes tributaires des évolutions du marché, les prix cesseraient d'être déterminés de façon unique. Nous aurions, en fait d'équilibre, des prix flottants, aux effets dévastateurs, et les conclusions de la théorie économique perdraient toute pertinence pour le monde réel. C'est afin d'éviter cela qu'a été introduit l'outil méthodologique qui consiste à traiter les courbes d'offre et de demande comme des données indépendantes. Mais il y a quelque chose d'insidieux à recourir à un outil méthodologique pour dissimuler une hypothèse qui serait indéfendable si elle était explicitée.

Depuis l'époque où j'étais étudiant, les économistes se sont livrés à toutes sortes d'acrobaties pour intégrer à la théorie de la concurrence pure et parfaite le rôle des anticipations. Ils ont échafaudé à cette fin la théorie des anticipations rationnelles. Je ne prétends pas la comprendre entièrement, faute d'avoir jamais eu à l'étudier. Mais, pour ce que j'en comprends, elle affirme que chaque acteur du marché recherche son intérêt personnel et fonde ses décisions sur l'hypothèse que les autres acteurs font de même. C'est loin d'être aussi rationnel qu'il y paraît, car les acteurs n'agissent pas, en réalité, sur la base de leurs intérêts, mais sur celle de leur *perception* de ces intérêts, ce qui n'est pas la même chose, ainsi que la démonstration en a été faite lors d'expériences d'économie comportementale[1]. Ils agissent sur la base d'une compréhension imparfaite, et leurs décisions ont des conséquences non souhaitées. Il y a absence de correspondance entre les attentes et les résultats — entre l'*ex ante* et l'*ex post* — et il n'est pas rationnel d'agir en se fondant sur l'hypothèse qu'il n'y a pas d'écart entre les deux[2].

1. Daniel Kahneman, Amos Tversky, «Prospect Theory: An Analysis of Decision under Risk», *Econometrica*, mars 1979, p. 263-291.
2. Roman Frydman, Michael D. Goldberg, *Imperfect Knowledge Economics: Exchange Rates and Risk*, Princeton University Press, 2007 ; Roman Frydman,

La théorie des anticipations rationnelles cherche à surmonter cette difficulté en prétendant que le marché dans son ensemble est toujours mieux informé que chacun des acteurs pris isolément — assez bien, en tout cas, pour que l'on puisse dire que le marché « a toujours raison ». Il arrive certes que les acteurs du marché comprennent les choses de travers et que ces malentendus provoquent des perturbations aléatoires, mais tous recourent, en dernière analyse, au même modèle explicatif quant au fonctionnement du monde ; et si d'aventure ce n'est pas le cas, ils finissent néanmoins, instruits par l'expérience, par converger vers lui. J'ai trouvé si fausse cette interprétation de la réalité que je n'ai même pas pris la peine de l'étudier. J'ai travaillé sur un modèle différent, et le fait que cela m'ait réussi ravale au rang de sornettes, selon moi, la théorie des anticipations rationnelles, car les gains que j'ai réalisés excèdent de loin ce que la théorie de la « marche au hasard » permettrait de considérer comme un écart acceptable.

Une théorie contradictoire

Les marchés financiers, du fait qu'ils fonctionnent selon un biais dominant, ne cessent de se tromper, mais il est vrai qu'ils tendent, en temps normal, à corriger leurs propres excès. Le biais dominant peut d'ailleurs, à

Edmund Phelps, *Individual Forecasting and Aggregate Outcomes : Rational Expectations Examined*, Cambridge University Press, 1983.

l'occasion, s'autovalider en influençant non seulement les prix du marché, mais encore les «fondamentaux» que ces prix sont censés refléter. C'est une chose que l'on a beaucoup de mal à comprendre lorsque l'on a été conditionné par le paradigme dominant. Les contempteurs de ma théorie considèrent que j'enfonce des portes ouvertes en disant que les perceptions biaisées des acteurs influencent les prix du marché. Mais mon argument central n'est pas celui-là : il consiste à dire que les prix du marché influencent les fondamentaux. L'idée fausse selon laquelle les marchés finissent toujours par «avoir raison» nous vient justement de leur capacité à affecter ces fondamentaux qu'ils sont censés refléter. La modification des fondamentaux peut alors renforcer des anticipations biaisées, dans un processus cumulatif à son début et autodestructeur à sa fin. Naturellement, ces séquences d'expansion-contraction (*boom-bust*) ne se produisent pas tous les jours : bien souvent, le biais dominant se corrige de lui-même avant que les fondamentaux risquent d'en être affectés. Mais le fait même qu'elles puissent se produire suffit à invalider la théorie des anticipations rationnelles. Et lorsqu'elles se produisent pour de bon, elles peuvent revêtir une importance historique. C'est ce qui est arrivé avec la Grande Dépression, et c'est ce qui est en train d'arriver maintenant, bien que ce soit sous une forme très différente.

Je cite, dans *L'Alchimie de la finance*, de nombreux exemples de cycles *boom-bust*, ou de bulles, qui se sont développés à partir des marchés financiers. Il y avait au départ, à chaque fois, une relation réflexive, à double sens, entre les valeurs de marché et les «fondamentaux», les premières affectant les seconds alors qu'elles sont censées les refléter. Cette relation peut revêtir la forme d'un *equity leveraging*, c'est-à-dire d'une émission d'actions nouvelles à un cours surévalué, mais il est plus fréquent que l'effet de levier joue sur la dette. Dans la plupart des cas, l'immobilier, résidentiel ou commercial, est impliqué, la propension des banques à prêter influant sur la valeur des biens acceptés en garantie. Lors de la crise financière internationale des années 1980, le processus a eu pour point de départ la dette souveraine; aucune garantie réelle n'était apportée en contrepartie, mais la disposition des banques à prêter affectait les ratios d'endettement, lesquels déterminent la capacité d'emprunt des États.

Le boom des conglomérats

Je dois l'un de mes tout premiers succès de spéculateur au «boom des conglomérats» de la fin des années 1960. Il a commencé lorsque les directions de plusieurs entreprises américaines de haute technologie travaillant pour la défense nationale ont admis publiquement que leur activité ne pourrait continuer de croître au même rythme lorsque la guerre du Vietnam s'achèverait. Des sociétés telles que Textron, LTV ou Teledyne se sont alors mises à utiliser leurs propres actions, dont les cours étaient relativement élevés, pour racheter des sociétés opérant dans des secteurs plus prosaïques. La croissance de leur bénéfice par action s'en trouvant accélérée, leur ratio cours-bénéfice, au lieu de baisser, a augmenté. La voie était toute tracée, et les suiveurs ont été légion, si bien que même la société la plus banale pouvait améliorer sa valorisation en se contentant de participer à la foire aux acquisitions — voire, à la fin, en promettant simplement de faire bon usage de son capital en procédant à des rachats judicieux.

Les dirigeants de ces entreprises ont recouru systématiquement à certaines techniques comptables permettant de renforcer l'impact positif des acquisitions. Ils ont également introduit des changements dans les entreprises rachetées, rationalisant la gestion, liquidant certains actifs, s'efforçant de maximiser les profits, mais tout cela comptait finalement moins que l'impact des acquisitions elles-mêmes sur le bénéfice par action.

Les investisseurs ont réagi comme des cochons devant une auge. Au début, chaque société était jugée d'après ses propres mérites, mais bien vite les conglomérats ont été considérés comme formant un tout. Une nouvelle race d'investisseurs est apparue : les premiers gestionnaires de *hedge funds*, surnommés les *gunslingers*[1]. Ils avaient une relation privilégiée avec les dirigeants des conglomérats, qui s'adressaient directement à eux pour placer sur le marché ce que l'on appelait des actions reflets — avec une décote, mais celle-ci était assortie de la condition de ne pas revendre avant un délai donné. Peu à peu,

---

1. « Flingueurs » (*N.d.T.*).

les conglomérats ont appris à veiller sur leurs cours de Bourse au moins autant que sur leurs résultats.

L'idée fausse sur laquelle reposait le boom des conglomérats consistait à faire de la croissance du bénéfice par action le critère suprême, quelle que soit la façon dont cette croissance était obtenue. Certaines entreprises ont mis à profit cette erreur collective pour en racheter d'autres à bon compte en offrant leurs propres actions, surévaluées, comme monnaie d'échange, ce qui en accentuait encore la surévaluation. Une telle pratique, naturellement, n'aurait pas été possible si les acteurs du marché avaient eu conscience de la réflexivité et avaient compris que la croissance des bénéfices était, dans de nombreux cas, imputable au seul *equity leveraging*, c'est-à-dire à la cession d'actions à un prix exagéré.

Les ratios cours-bénéfices ont poursuivi leur progression, tandis que les bénéfices eux-mêmes ont fini par cesser d'être conformes aux attentes du marché. Un nombre croissant d'investisseurs ont pris conscience de ce que le jeu reposait sur une base erronée, mais ont continué de le jouer. Il aurait fallu, pour maintenir le rythme de croissance des bénéfices, que le volume des acquisitions continue de croître lui aussi, mais la limite a fini par être atteinte. Le tournant s'est produit lorsque Saul Steinberg, président de Reliance Group, a voulu racheter Chemical Bank, et que l'opération a été combattue avec succès par l'establishment bancaire de l'époque.

Lorsque les cours des actions ont commencé à baisser, le mouvement s'est nourri de lui-même. La surévaluation étant moindre, les acquisitions sont devenues plus difficiles. Les problèmes internes qui avaient été dissimulés pendant la période de croissance externe rapide sont réapparus. Les annonces de résultats ont amené leur lot de mauvaises surprises. Les investisseurs sont revenus de leurs illusions, et les dirigeants des conglomérats ont traversé une crise existentielle : peu d'entre eux étaient disposés, après cette période euphorique, à revenir à la grisaille de la gestion quotidienne. « Je n'ai pas de public pour qui jouer », m'a confié un jour un président de société. Une récession est venue aggraver encore les choses, et un grand nombre de ces conglomérats se sont littéralement désintégrés en plein vol. Les investisseurs s'étaient préparés au pire, et c'est bien le pire qui, pour certaines sociétés, s'est produit. Pour d'autres, les choses ont mieux tourné et la situation a fini par se stabiliser. Les survivantes se sont lentement relevées des décombres, souvent avec une nouvelle équipe dirigeante.

Les trusts hypothécaires

Mon expérience personnelle de séquence *boom-bust* la plus marquante a été celle des REIT[1]. Il s'agit d'un type particulier de société, créé par la loi, dont la principale caractéristique est de pouvoir distribuer ses

1. *Real Estate Investment Trusts* : sociétés d'investissement immobilier (*N.d.T.*).

bénéfices en franchise d'impôt sur les sociétés, à condition de les distribuer à plus de 95 %. Cette possibilité légale est restée largement inutilisée jusqu'en 1969, date à laquelle ces sociétés sont apparues en nombre sur le marché. Mon souvenir de l'épisode des conglomérats étant encore frais, j'ai vite décelé leur potentiel d'expansion-contraction. J'ai même publié une étude dans laquelle j'expliquais que les méthodes classiques d'analyse de titres ne pouvaient s'appliquer dans ce cas. Les analystes cherchent généralement à prévoir l'évolution future des bénéfices, puis à évaluer le prix qu'un investisseur serait prêt à payer pour des actions d'une société affichant (ou susceptible d'afficher) ces bénéfices. Cette méthode ne fonctionnait pas dans le cas des REIT, car le prix auquel un investisseur était prêt à payer une action était justement un facteur important de l'évolution des bénéfices. Il aurait fallu non pas prévoir séparément l'évolution des cours et celle des bénéfices, mais anticiper le déroulement de l'ensemble du processus.

J'ai donc écrit le synopsis d'un drame en quatre actes : apparition de trusts hypothécaires au cours surévalué ; renforcement de cette surévaluation par l'émission d'actions supplémentaires à ce cours surévalué ; entrée en scène des moutons de Panurge ; tombée de rideau sur fond de faillites à grande échelle.

Au moment où mon étude a paru, les gestionnaires de *hedge funds* venaient d'essuyer des pertes sévères à la suite de l'effondrement des conglomérats. Généralement habitués à partager les profits sans être contraints de prendre aussi leur part des pertes, ils étaient prêts à saisir la première occasion pour se refaire. Ils avaient saisi d'instinct le fonctionnement d'un processus réflexif, pour en avoir été les protagonistes. Mon étude a eu un écho immense, dont je ne me suis rendu compte que le jour où j'ai reçu un coup de téléphone de banquiers de Cleveland, qui m'en demandaient un exemplaire neuf parce que le leur était passé par tant de photocopieuses qu'il en était illisible. Il n'existait alors qu'une poignée de trusts hypothécaires, mais leurs actions étaient si recherchées que les cours avaient presque doublé en un mois environ. La demande créant l'offre, une nuée de nouvelles émissions s'est abattue sur le marché. Lorsqu'il est apparu clairement que l'offre était inépuisable, les cours sont retombés aussi vite qu'ils étaient montés. Manifestement, les lecteurs de mon étude avaient négligé de tenir compte de l'extrême facilité avec laquelle on pouvait créer une nouvelle REIT, et ils ont vite compris leur erreur. Mais leur enthousiasme initial avait contribué à ce processus cumulatif que décrivait mon étude. La suite des événements s'est déroulée comme je l'avais annoncé. Les REIT ont profité d'un boom qui a été moins violent que celui consécutif à la parution de mon étude, mais qui s'est révélé plus durable.

J'avais beaucoup investi dans les trusts hypothécaires à l'époque, et j'ai pris une partie de mes bénéfices lorsque les réactions qu'a suscitées mon étude ont dépassé mes attentes. Mais je m'étais trop laissé griser par mon succès, si bien que j'ai été surpris par le reflux. Je me suis néanmoins accroché à mes positions, et je les ai même reconstituées. Au bout d'un an environ, j'ai tout vendu, en réalisant une plus-value substantielle, puis j'ai cessé de suivre le secteur, jusqu'à ce que, quelque temps plus tard, les turbulences reviennent. Quand je m'en suis rendu compte, j'ai eu envie de prendre une position courte[1], mais j'étais handicapé par le fait que ces sociétés ne m'étaient plus familières. J'ai alors relu l'étude que j'avais rédigée quelques années plus tôt, et l'ai trouvée si convaincante que j'ai décidé de vendre à découvert l'ensemble du secteur, sans distinction. J'ai même maintenu mon niveau d'exposition au fur et à mesure que les cours baissaient, en vendant à découvert des actions supplémentaires. Ma prédiction initiale s'est accomplie, et la plupart des trusts hypothécaires se sont trouvés à court d'argent. Au bout du compte, j'ai fait plus de 100 % de bénéfices sur mes positions courtes — ce qui est normalement impossible, le bénéfice maximum sur une position courte étant de 100 % (je suis parvenu à crever ce plafond en continuant à vendre à découvert des actions supplémentaires).

La crise financière internationale des années 1980

Tous les cycles *boom-bust* reposent sur une erreur de conception ou d'interprétation. Dans les deux cas que je viens de décrire, le processus a pour origine la pratique

---

1. Vente d'un contrat à terme non compensée par un achat — l'inverse s'appelant position «longue» (*N.d.T.*).

de l'*equity leveraging*, elle-même rendue possible par une analyse erronée de la croissance des bénéfices : une croissance purement externe, due à l'émission d'actions supplémentaires à des prix surévalués, était considérée à l'égal d'une croissance liée aux mérites intrinsèques de l'entreprise. Les cas où le processus a pour origine un effet de levier lié à l'endettement sont plus nombreux, mais je n'en ai analysé, dans *L'Alchimie de la finance*, qu'un seul : la crise financière internationale des années 1980, conséquence du volume excessif des prêts accordés aux pays en développement dans les années 1970.

Après le choc pétrolier de 1973, les grandes banques internationales ont croulé sous les dépôts des pays producteurs et les ont principalement canalisés vers les pays importateurs, qui avaient besoin de financer le déficit de leurs balances des paiements. Les banques évaluaient la solvabilité des pays emprunteurs au moyen de ce que l'on appelle des ratios d'endettement, mais elles n'ont pas compris — ou n'ont compris que trop tard — que ces ratios étaient affectés par leur propre politique de prêt.

L'erreur de départ, lorsque l'effet de levier est lié à l'endettement, est le refus d'admettre l'existence d'une relation réflexive, à double sens, entre la solvabilité du débiteur et la propension du créancier à prêter. La plupart du temps, la garantie apportée par l'emprunteur est un bien immobilier. Les bulles apparaissent lorsque les banques considèrent la valeur de l'immobilier comme si elle était indépendante de leur propre disposition à prêter sur la base de cette garantie.

La crise financière internationale des années 1980 a été quelque peu différente, car les débiteurs étaient des États souverains, qui avaient emprunté non sur la base de garanties réelles, mais sur celle de leur solvabilité, telle que mesurée par leurs ratios d'endettement. Or, ces ratios, loin d'être des données autonomes, étaient le produit d'une relation réflexive, puisqu'ils avaient été « tirés vers le haut », dans les années 1970, par l'empressement des banques à prêter aux pays en question et par l'envol des prix des produits de base. Le premier État à rencontrer de graves difficultés a été le Mexique, producteur de pétrole. (La Hongrie l'avait précédé, mais la situation y était sous contrôle.)

Après la crise financière internationale des années 1980, j'ai assisté à plusieurs bulles immobilières : au Japon, au Royaume-Uni et aux États-Unis. L'erreur peut se manifester sous diverses formes, mais le principe est toujours le même. L'étonnant est qu'elle continue de se produire.

Le modèle d'expansion-contraction

J'ai conçu, en prenant pour modèle le boom des conglomérats, une séquence-type d'expansion-contraction, en huit étapes. Il y a, au départ, un biais dominant et une tendance dominante. Dans le cas des conglomérats, le biais dominant était la préférence donnée à une croissance rapide des bénéfices, indépendamment du moyen par lequel celle-ci était obtenue ; la tendance dominante était la capacité des entreprises à afficher des bénéfices élevés en se servant de leurs actions pour en acquérir d'autres, aux bénéfices nominaux plus faibles. À l'étape initiale (1), la tendance n'est pas encore perçue. Puis vient la période d'accélération (2), durant laquelle, une fois identifiée, elle est accentuée par le biais dominant. On approche alors de la zone « éloignée de l'équilibre », et il peut y avoir une période d'observation (3) lorsque les cours marquent un repli. Pour peu que le biais dominant et la tendance dominante survivent à cette période d'observation, ils s'en trouvent renforcés l'un et l'autre, et l'on atteint alors le cœur de la zone « éloignée de l'équilibre », où les règles normales n'ont plus cours (4). Vient alors le moment de vérité (5), où la réalité ne peut plus soutenir des anticipations devenues excessives, puis une période de rémission (6), où les acteurs continuent de jouer le jeu alors même qu'ils n'y croient plus. Le point de retournement (7) finit par être atteint, la tendance s'inverse, le biais également, et il s'ensuit une terrible dégringolade (8), communément appelée krach.

Ce schéma *boom-bust* a une forme asymétrique particulière. Le démarrage est lent, l'accélération est progressive, la chute plus brutale que n'a été la progression. On a pu observer exactement la même séquence lors de la crise bancaire internationale. Le schéma, asymétrique, est le même : démarrage lent, accélération progressive durant la phase d'expansion, moment de vérité suivi d'une période de rémission, effondrement spectaculaire.

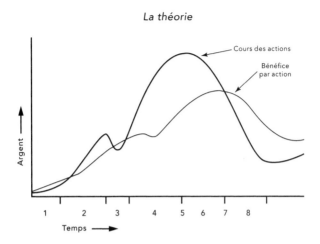

La théorie

Autres formes de réflexivité

Ce serait toutefois une erreur que de croire qu'un processus réflexif se manifeste toujours sous la forme d'une bulle. Il peut en prendre beaucoup d'autres. En régime de taux de change flottants, par exemple, la relation réflexive entre les cours de marché et ce que l'on appelle les fondamentaux tend à créer de grandes ondulations pluriannuelles. Sauf inflation galopante, il n'y a pas ces dissymétries, notamment entre hausse et baisse, qui caractérisent les bulles ; les signes d'une tendance vers l'équilibre sont même plus rares encore.

Il faut absolument avoir conscience que, sur les marchés financiers, les processus réflexifs sont bien plus fréquents que les cycles *boom-bust*. Les acteurs agissant en permanence sur la base d'une connaissance imparfaite, les prix reflètent plus souvent le biais dominant qu'ils ne représentent une évaluation juste. La plupart du temps, les valeurs de marché sont démenties ultérieurement par les faits ; le biais est alors corrigé, mais pour faire place à un autre biais. Il est rarissime qu'un processus cumulatif à son début et autodestructeur à sa fin ait été déclenché par un simple biais dominant : il faut encore que celui-ci ait été en mesure d'influencer les fondamentaux, et donc qu'il ait été associé à une erreur, également dominante, de conception ou d'analyse. Les prix du marché comme les conditions économiques peuvent alors évoluer bien au-delà de ce qui serait possible autrement, et la correction, lorsqu'elle se produit, peut avoir des conséquences dévastatrices.

Marchés contre régulateurs

Les marchés financiers, du fait qu'ils ne tendent pas vers l'équilibre, ne peuvent être livrés à eux-mêmes. Les crises périodiques ont amené des réformes allant dans le sens d'une régulation renforcée, qu'il s'agisse des marchés financiers ou des banques elles-mêmes. Alors que les séquences d'expansion-contraction sont somme toute rares, les interactions réflexives entre marchés et régulateurs sont continuelles.

Les erreurs de compréhension des premiers comme des seconds demeurent généralement dans des limites raisonnables, car les cours de marché fournissent des informations utiles, qui permettent de les reconnaître et de les corriger, mais il arrive que ces erreurs se révèlent autovalidantes. Il en résulte des cercles vicieux ou vertueux, qui ressemblent aux séquences *boom-bust* dans la mesure où le processus est d'abord cumulatif avant de devenir autodestructeur. Mais de telles séquences sont rares et espacées, alors que les processus réflexifs sont continus. La réflexivité est une réalité universelle, les bulles ne sont qu'un cas particulier.

Ce qui caractérise les processus réflexifs, c'est qu'ils comportent un élément d'incertitude ou d'indétermination. C'est à cause de cet élément que le comportement des marchés financiers n'est pas régi par des lois à validité universelle, mais suit un chemin unidirectionnel. On peut distinguer, au sein de ce processus, entre les événements quotidiens, dont le caractère répétitif et routinier se prête assez bien aux généralisations statistiques, et les événements uniques, historiques, à l'issue véritablement incertaine. Les bulles, comme tous les cercles vicieux ou vertueux, appartiennent à cette seconde catégorie. Il faut cependant avoir bien conscience que toutes les relations réflexives ou circulaires ne donnent pas naissance à des processus d'importance historique. Certains s'autodétruisent dès le début et ne laissent aucune trace, d'autres avortent en chemin. Le nombre de ceux qui atteignent la zone éloignée de l'équilibre est relativement faible. Qui plus est, aucun ne se déroule tout à fait isolément. Le cas général est que plusieurs d'entre eux sont simultanément à l'œuvre, interférant les uns avec les autres et donnant lieu à des courbes aux formes irrégulières — sauf lorsque, par extraordinaire, l'un des processus est à ce point vigoureux qu'il éclipse tous les autres. C'est un point sur lequel je crains de ne pas avoir été assez clair dans *L'Alchimie de la finance*.

La faille de la théorie de l'équilibre

La théorie de l'équilibre n'est pas sans mérites. Elle nous fournit un modèle auquel comparer la réalité. Parler de conditions éloignées de l'équilibre, c'est encore faire référence au concept d'équilibre[1]. Les économistes, de leur côté, ont fait de nombreuses et courageuses tentatives pour ajuster leurs modèles à la réalité. Les modèles cycliques dits de deuxième génération ont cherché à analyser les situations d'expansion-contraction. Je ne me prononcerai pas sur leur validité, mais je crois qu'il leur manque la simplicité qui caractérise mon propre schéma *boom-bust*. Ils rappellent d'une certaine façon l'astronomie précopernicienne, qui cherchait à ajuster son paradigme, circulaire, à la trajectoire, ellipsoïdale, des planètes.

Le moment est venu d'adopter un nouveau paradigme, et la théorie de la réflexivité nous en fournit justement

---

1. Je crains de me faire mal comprendre — et, de fait, je me suis fait mal comprendre d'un de mes correspondants, d'où la présente note. Lorsque je parle de conditions « éloignées de l'équilibre », l'emploi du mot « équilibre » est une façon de parler. Je ne veux pas dire qu'il y aurait un équilibre stable dont un processus *boom-bust* s'écarterait occasionnellement. Je me représente plutôt l'équilibre comme une cible mouvante, les prix du marché pouvant affecter les fondamentaux qu'ils sont supposés refléter.

un — la théorie dans son ensemble, et non le seul schéma *boom-bust*. Elle ne peut cependant espérer prétendre à la consécration scientifique tant que nous n'aurons pas repensé radicalement nos attentes vis-à-vis des théories ayant trait aux phénomènes sociaux. S'il lui faut satisfaire aux règles et aux critères des sciences de la nature, elle n'a aucune chance, car elle repose justement sur l'existence d'une différence structurelle, fondamentale, entre phénomènes naturels et phénomènes sociaux. Ces derniers, du fait même qu'elle y introduit un élément d'indétermination, ne peuvent être prédits d'une façon déterminée.

Le paradigme dominant veut que les marchés financiers tendent vers l'équilibre, et que les prix réels s'en écartent de façon aléatoire. S'il est possible de construire des modèles théoriques sur cette base, l'affirmation selon laquelle ils peuvent être appliqués au monde réel est à la fois erronée et trompeuse. Cela revient en effet à nier la possibilité que les écarts puissent se creuser d'eux-mêmes et, partant, altérer l'équilibre théorique. Lorsque cela se produit, les modèles de calcul de risque et les techniques de marché fondées sur ces modèles sont susceptibles de s'effondrer. En 1998, Long Term Capital Management (LCTM), *hedge fund* à fort effet de levier, qui recourait à de telles techniques et avait pour conseillers deux économistes[1] à l'origine des modèles en question (et lauréats, pour cette raison, du prix Nobel), a traversé une grave crise, dont il n'a été sauvé

---

1. Myron Scholes et Robert Merton (Prix Nobel 1997) (*N.d.T.*).

que grâce à l'intervention de la Fed. Les techniques et les modèles ont été modifiés depuis, mais l'approche fondamentale n'a pas été remise en cause. On a notamment observé que la courbe des écarts de prix ne présentait pas la forme «en cloche» traditionnelle, mais présentait une «queue épaisse». Pour tenir compte du surcroît de risque que cela signifiait, on a renforcé les calculs de VAR[1] par des «tests de stress». Mais la raison pour laquelle la courbe présentait cette forme particulière est restée inexpliquée. Elle est en fait à rechercher dans les mouvements de prix cumulatifs; la réflexivité a cependant continué d'être ignorée, et l'utilisation de modèles erronés de se répandre — en particulier pour la conception de produits dérivés. C'est l'une des causes profondes de la crise financière actuelle, dont il sera question dans la deuxième partie.

Renoncer à l'unité de méthode

La croyance que le marché tend vers l'équilibre a donné naissance à des politiques consistant à laisser les marchés financiers livrés à eux-mêmes. Ce dogme, que j'appelle fondamentalisme de marché, ne vaut pas mieux que le dogme marxiste. L'un comme l'autre sont des idéologies qui se drapent d'oripeaux scientifiques pour se faire plus facilement accepter, mais les théories qui

---

1. *Value at Risk*: notion utilisée pour mesurer le risque de marché d'un portefeuille d'emprunts financiers (*N.d.T.*).

en découlent ne résistent pas à l'épreuve des faits. Elles recourent au langage scientifique non pour comprendre la réalité, mais pour la manipuler. Le fait même que l'on puisse dévoyer ainsi la démarche scientifique devrait suffire à prouver qu'il n'est pas licite d'appliquer les mêmes méthodes et les mêmes critères aux sciences de la nature et aux sciences sociales. Comme je l'ai souligné en évoquant le « principe d'incertitude humaine », les phénomènes sociaux peuvent être influencés par la production d'énoncés les concernant. L'un des grands apports de Karl Popper a été de démontrer que les idéologies telles que le marxisme ne pouvaient se prétendre scientifiques. Mais il s'est arrêté en chemin. Il n'a pas vu que la théorie économique classique pouvait donner lieu à la même exploitation non scientifique. La faille réside dans le principe d'unité de méthode, qui, en parant les sciences sociales du prestige des sciences de la nature, permet que les théories scientifiques soient utilisées à des fins de manipulation plus que de cognition.

Le piège peut néanmoins être évité. Il suffit pour cela de renoncer au principe d'unité de méthode et d'adopter la théorie de la réflexivité. Naturellement, cela représente pour les économistes une *deminutio capitis* à laquelle il n'est guère étonnant qu'ils opposent quelque résistance. Mais, dès lors que l'objectif est bien l'exercice de la fonction cognitive, le jeu en vaut la chandelle. Non seulement la théorie de la réflexivité explique mieux le fonctionnement des marchés financiers que les théories aujourd'hui dominantes, mais elle est moins propice à la manipulation de la réalité, car elle se garde de prétentions excessives quant à sa capacité à prédire et à expliquer les phénomènes sociaux. Une fois que nous aurons reconnu que la réalité peut être manipulée, notre priorité devrait être d'empêcher la fonction manipulatrice d'interférer avec la quête de la connaissance. La théorie de la réflexivité nous y aide en affirmant que les phénomènes sociaux deviennent imprévisibles chaque fois que la réflexivité intervient. Il nous faut donc revoir à la baisse nos attentes vis-à-vis des sciences sociales. Nous ne pouvons espérer de phénomènes réflexifs qu'ils soient déterminés par des lois générales à validité intemporelle, puisque la réflexivité comporte justement un élément d'incertitude et d'indétermination (incertitude concernant la pensée des acteurs, indétermination concernant le cours des événements).

Une objection envisageable à l'abandon du principe d'unité de méthode est qu'il serait impossible de tracer une ligne de partage nette et définitive entre sciences sociales et sciences de la nature. Mais cela ne saurait nous troubler au point de nous faire renoncer à notre raisonnement : chaque fois que la réflexivité pointe son museau ingrat, nous devons restreindre nos attentes.

Le nouveau paradigme

Je voudrais expliciter davantage ce en quoi le nouveau paradigme diffère de l'ancien. En appliquant aux marchés financiers le postulat de la faillibilité radicale, on peut affirmer que, loin d'avoir toujours raison, ils se trompent en fait toujours. Ils ont néanmoins la capacité de se corriger eux-mêmes, voire de transformer leurs erreurs en vérité au moyen d'un processus réflexif auto-validant, de façon à paraître avoir toujours raison. En d'autres termes : s'ils ne peuvent prédire avec certitude les baisses, ils peuvent les provoquer.

Les acteurs du marché agissent sur la base d'une compréhension imparfaite. Ils fondent leurs décisions non sur la seule connaissance, mais sur des interprétations partielles, biaisées, erronées de la réalité, de sorte que les résultats sont susceptibles de s'écarter des attentes. Ces écarts leur procurent toutefois des informations utiles, grâce auxquelles ils peuvent ajuster leurs comportements. Reste qu'un tel processus a peu de chance de produire en permanence des résultats positifs. Les marchés s'éloignent d'ailleurs du point d'équilibre théorique presque aussi souvent qu'ils s'en approchent, et peuvent se trouver pris dans des processus qui, cumulatifs au départ, deviennent finalement autodestructeurs. Les bulles aboutissent souvent à des crises financières, lesquelles suscitent en retour un surcroît de régulation. C'est de cette façon que le système financier a évolué : par des crises périodiques rendant nécessaires de nouvelles régulations. C'est pourquoi la meilleure analyse que l'on puisse faire des marchés financiers consiste à les considérer comme un processus historique, et c'est pour la même raison que ce processus est incompréhensible si on ne tient pas compte du rôle des régulateurs. En l'absence d'autorités de régulation, les marchés financiers seraient condamnés à s'effondrer, mais dans les faits cela se produit rarement, car ils sont sous la surveillance constante de ces autorités. Même si ces dernières ont, en temps normal, de fortes tendances lymphatiques, elles savent se réveiller lorsqu'il y a urgence — du moins en démocratie.

La plupart des processus réflexifs supposent une interaction entre acteurs et régulateurs du marché. Pour comprendre cette interaction, il faut garder présent à l'esprit que les seconds sont tout aussi faillibles que les premiers. En outre, les changements auxquels est régulièrement soumis l'environnement réglementaire font que chaque crise a lieu dans un contexte historique unique. Cela suffit à justifier mon affirmation selon laquelle le comportement des marchés est à considérer comme un processus historique.

Le fondamentalisme de marché attribue les échecs du marché à la faillibilité des régulateurs, et il n'a qu'à moitié raison, car les marchés sont tout aussi faillibles que les régulateurs. Il a entièrement tort, en revanche, lorsqu'il prétend que toute régulation, du fait de sa faillibilité, devrait être supprimée. Cette position est symétrique de celle des communistes, pour qui le marché lui-même devrait être aboli en raison de sa faillibilité. Karl Popper (tout comme Friedrich Hayek) a démontré les dangers de l'idéologie communiste ; sachons, à notre tour, reconnaître le caractère idéologique du fondamentalisme de marché, et nous aurons gagné en compréhension de la réalité. Que les régulateurs soient imparfaits ne prouve pas que les marchés soient parfaits. Cela justifie seulement que l'on révise, pour l'améliorer, la régulation.

À partir de quel moment les relations réflexives, inhérentes aux marchés financiers, deviennent-elles des processus cumulatifs d'importance historique, influençant non seulement les cours, mais aussi les fondamentaux que ces cours sont censés refléter ? Telle est la question à laquelle doit répondre, pour prétendre à quelque validité, une théorie de la réflexivité. Le sujet mériterait des investigations plus détaillées, mais mon hypothèse de départ, étayée à la fois par des raisonnements théoriques et par des preuves empiriques, est la suivante : « Pour qu'un cycle *boom-bust* ait lieu, il faut d'une part du crédit ou un effet de levier, et d'autre part des erreurs conceptuelles ou d'interprétation. » Telle est cette hypothèse que je vais maintenant mettre à l'épreuve. Comme je l'ai dit, l'idée centrale que mon cadre conceptuel a à proposer est que les idées fausses jouent dans le cours des événements un rôle très important. Elle est particulièrement pertinente pour comprendre ce qui se passe actuellement sur les marchés financiers.

L'une des différences majeures entre l'ancien paradigme et le nouveau est que celui-ci envisage l'effet de levier avec davantage de prudence. Alors que la théorie de la réflexivité reconnaît les incertitudes liées à la faillibilité des régulateurs comme à celle des acteurs, le paradigme actuellement dominant n'admet que les risques connus et ignore les conséquences de ses propres erreurs et insuffisances. C'est là que se trouve la racine des turbulences actuelles.

II

La crise actuelle et au-delà

5

L'hypothèse de la super-bulle

Nous sommes au milieu d'une crise financière comme nous n'en avons plus connu depuis la Grande Dépression des années 1930. Il ne faut naturellement pas y voir le prélude à une nouvelle Grande Dépression : l'histoire ne se répète pas. On ne laissera pas le système bancaire s'effondrer comme en 1932, ne serait-ce que parce que c'est cet effondrement qui a provoqué la Grande Dépression. Pour autant, la crise actuelle n'est pas non plus comparable à celles qui affectent périodiquement tel ou tel segment du système financier depuis les années 1980 : la crise financière internationale en 1982, la crise des caisses d'épargne aux États-Unis en 1986, la débâcle de l'assurance de portefeuille en 1987, la faillite de Kidder Peabody en 1994, la crise des marchés émergents en 1997, la faillite de LCTM en 1998, la bulle technologique en 2000. Elle n'est pas limitée à telle ou telle société ni à tel ou tel segment du système financier ; elle a conduit le système tout entier au bord de la rupture, et les autorités ont le plus grand mal à la maîtriser. Elle sera lourde de conséquences. Les choses ne reprendront pas leur cours ; nous vivons la fin d'une époque.

Pour expliquer ce que j'entends sous cette proclamation quelque peu emphatique, je recourrai à la théorie de la réflexivité et au modèle *boom-bust* que j'ai présentés au chapitre précédent, mais l'explication sera loin d'être simple. Il n'y a pas seulement un processus d'expansion-contraction, mais deux : la bulle immobilière, d'une part, et ce que j'appellerai une « super-bulle » de plus longue durée. La première est tout à fait classique ; la seconde est bien plus complexe. Pour rendre les choses plus complexes encore, les deux bulles ne se sont pas développées isolément ; elles sont profondément ancrées dans l'histoire de la période. La situation actuelle ne peut se comprendre que si l'on tient compte : de la puissance économique de la Chine, de l'Inde et de certains pays producteurs de pétrole et de matières premières ; du boom des produits de base ; d'un système de taux de change qui est en partie flottant, en partie lié au dollar et en partie intermédiaire ; de la réticence croissante du reste du monde à détenir des dollars.

La bulle immobilière américaine

À la suite de l'éclatement de la bulle technologique en 2000 et de l'attaque terroriste du 11 septembre 2001, la Fed a baissé progressivement le taux des fonds fédéraux jusqu'à 1 % et l'a maintenu à ce niveau jusqu'en juin 2004. Il en est résulté le développement d'une bulle immobilière. Des bulles similaires ont pu être observées dans d'autres pays comme le Royaume-Uni, l'Espagne et l'Australie, mais ce qui distingue la bulle immobilière américaine des autres, c'est sa taille, ainsi que son importance pour l'économie mondiale et pour le système financier international. Le marché immobilier s'est effondré plus tôt en Espagne qu'aux États-Unis, mais le phénomène est passé inaperçu, sauf localement. Inversement, les titres hypothécaires américains étaient largement distribués dans le monde entier, certains investisseurs institutionnels européens, allemands en particulier, étant plus exposés encore que leurs homologues américains.

Prise isolément, la bulle immobilière américaine a suivi fidèlement mon schéma *boom-bust*. Il y avait une tendance dominante — le laxisme de plus en plus agressif dans l'octroi des prêts et la forte hausse des ratios prêt-valeur — et cette tendance a été entretenue par l'idée, aussi fausse que répandue, que la valeur des garanties n'était pas affectée par la propension à prêter. C'est cette même idée qui, dans le passé, avait alimenté les bulles, notamment immobilières. L'étonnant est que la leçon n'ait pas été retenue.

Quelques graphiques éclairent de façon très parlante la croissance de la bulle. Dans le graphique 2, la courbe descendante est celle du taux d'épargne, la courbe montante celle des prix de l'immobilier, corrigés de l'inflation. Le graphique 3 décrit la progression sans précédent de la dette hypothécaire. Les Américains ont davantage accru leur endettement immobilier au cours des six dernières années que dans toute l'histoire du marché hypothécaire. Le graphique 4 illustre la baisse de la qualité du crédit. Les agences de notation fondant leurs évaluations sur l'historique des pertes, lequel s'améliore en période de hausse des prix de l'immobilier, elles ont fait preuve d'une générosité croissante dans leurs évaluations des CMO. Parallèlement, les organismes prêteurs sont devenus de plus en plus offensifs dans leur commercialisation des prêts à l'immobilier résidentiel (ce qui n'apparaît pas dans le graphique 4), à telle enseigne qu'il a fini par devenir possible d'acheter un logement sans fournir d'apport personnel — ni même remplir de questionnaire. Ainsi s'explique la qualité notoirement faible des hypothèques *subprime* et «Alt-A» contractées en 2005 et 2006. Le graphique 5 montre la progression de la proportion des hypothèques *subprime* et «Alt-A», qui représentaient le tiers du total des hypothèques souscrites en 2006. La juxtaposition des graphiques 4 et 5 fait apparaître la détérioration de la qualité du crédit, la motivation première des bailleurs de fonds étant de percevoir des frais bancaires élevés. Le graphique 6 montre la croissance des revenus tirés par Moody's de son activité de notation des fonds structurés, qui équivalaient, en 2006, à ceux que lui procurait son activité traditionnelle de notation des obligations. Le graphique 7 décrit la croissance exponentielle des produits synthétiques.

Graphique 2 : *Taux d'épargne des ménages américains*

Bureau of Economic Analysis, Bureau of Labor Statistics, Standard and Poor's, MacroMarkets, Haver Analytics. Calculs de l'auteur.

Graphique 3 : *Croissance de la dette hypothécaire des ménages américains*

Les Américains ont davantage accru leur endettement immobilier au cours des six dernières années que dans toute l'histoire du marché hypothécaire

Milliards de $

Federal Reserve Board, Haver Analytics, Single-family residence.

Graphique 4 : *Évolution de la notation des crédits immobiliers*

en % des crédits titrisés dans des CMBS à taux fixe

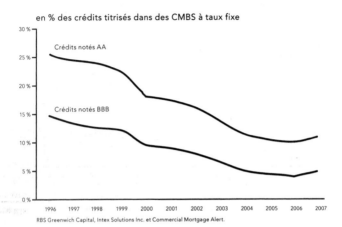

RBS Greenwich Capital, Intex Solutions Inc. et Commercial Mortgage Alert.

Graphique 5 : *Évolution de la facilité d'accès au crédit*

Part des *subprimes* dans les hypothèques nouvellement souscrites

Part des « Alt-A » dans les hypothèques nouvellement souscrites

Inside Mortgage Finance. 2007 : premier semestre.

Graphique 6 : *Revenus tirés par Moody's de son activité de notation des fonds structurés*

Rapports annuels de Moody's, 2000-2007. Calculs de l'auteur.

Graphique 7 : *Le développement de la titrisation*

Milliards de $

Lehman Brothers.

La bulle s'est développée lentement, a duré plusieurs années, et ne s'est pas dégonflée tout de suite lorsque les taux d'intérêt ont commencé à monter, car elle était soutenue par la demande spéculative, que favorisaient des pratiques de commercialisation des prêts de plus en plus offensives et des techniques de titrisation de plus en plus sophistiquées. Le moment de vérité a fini par arriver au printemps 2007, lorsque le problème des *subprimes* a amené New Century Financial Corporation à la faillite ; il a été suivi d'une période de rémission, au cours de laquelle les prix de l'immobilier ont chuté sans que le public comprenne que la récréation était finie. On a rapporté un propos prêté à Chuck Prince, directeur général de Citibank : « Quand la musique s'arrêtera, les choses seront compliquées en termes de liquidité. Mais tant que la musique joue, il faut continuer à se lever et à danser. Nous sommes toujours en train de danser[1]. » Lorsque, finalement, en août 2007, le point de retournement a été atteint, la chute a été brutale, et encore aggravée par un effet de contagion entre les différents segments du marché. Ce phénomène rappelait celui des marchés émergents, tombant les uns après les autres comme au bowling lors de la crise de 1997. La Bourse, malgré tout, s'est redressée entre août et octobre 2007. Mon modèle, qui décrit un effondrement à la fois bref et brutal, suivi d'un retour lent et laborieux à des conditions proches de l'équilibre, n'avait pas vu venir le coup. En l'occur-

---

1. Michiyo Nakamoto, David Wighton, « Bullish Citigroup Is "Still Dancing" to the Beat of the Buy-Out Boom », *Financial Times*, 10 juillet 2007.

rence, il y a eu un début de décrochage en août 2007 et un second en janvier 2008. Les deux fois, la Fed est intervenue en baissant le taux des fonds fédéraux, et le marché a voulu croire qu'elle protégerait l'économie des conséquences de la crise financière comme elle l'avait fait par le passé. Mais ce qui, justement, restreint sa capacité à le faire, c'est qu'elle l'a déjà fait trop souvent. Mon opinion est que la crise financière actuelle est différente de celles qui se sont produites dans un passé récent.

L'hypothèse de la super-bulle

À la bulle immobilière américaine se superpose un cycle *boom-bust* de bien plus grande ampleur, qui a fini par atteindre son point de retournement. La super-bulle est plus complexe que la bulle immobilière, et c'est pourquoi elle requiert une explication plus fouillée. Les cycles d'expansion-contraction naissent d'une interaction réflexive entre une tendance dominante et une idée fausse également dominante. La première est identique pour la super-bulle et pour la bulle immobilière — des techniques de développement du crédit de plus en plus sophistiquées — mais l'idée fausse est différente. Elle consiste en un excès de confiance dans les mécanismes du marché. Ronald Reagan parlait de la « magie du marché » ; je parlerai, pour ma part, de « fondamentalisme de marché ». Cette croyance est devenue dominante en 1980, au moment où Reagan a été élu président, un an après que Margaret Thatcher était devenue Premier ministre du Royaume-Uni, mais ses antécédents sont bien plus anciens. Au XIXᵉ siècle, on l'appelait *laisser-faire*.

Le fondamentalisme de marché trouve ses racines dans la théorie de la concurrence pure et parfaite, telle que formulée à l'origine par Adam Smith et développée par les économistes classiques. Il a grandement bénéficié, dans la période qui a suivi la Seconde Guerre mondiale, des échecs du communisme, du socialisme et des autres formes d'intervention de l'État. Mais son succès repose sur des prémisses erronées. Le fait que l'intervention de l'État ait toujours échoué ne rend pas les marchés parfaits pour autant. Le postulat central de la théorie de la réflexivité est que toutes les constructions humaines sont imparfaites. Les marchés financiers ne tendent pas automatiquement vers l'équilibre ; lorsqu'ils sont livrés à eux-mêmes, ils sont susceptibles de se laisser aller jusqu'aux extrémités de l'euphorie comme du désespoir. C'est bien pourquoi, d'ailleurs, on ne les laisse pas livrés à eux-mêmes : ils sont confiés à la surveillance et à la régulation des autorités financières, dont c'est la mission. Ces autorités ont remarquablement réussi, depuis la Grande Dépression, à éviter toute rupture majeure du système financier international. Mais, ironie de l'histoire, c'est cette réussite même qui a permis la renaissance du fondamentalisme de marché. Lorsque j'étais étudiant à la London School of Economics, dans les années 1950, le *laisser-faire* paraissait mort et enterré. Il est pourtant redevenu à la mode dans les années 1980. C'est sous son influence que les autorités financières ont perdu le contrôle des marchés financiers et que la super-bulle s'est développée.

La super-bulle est la combinaison de trois grandes tendances, dont chacune comporte au moins un vice rédhibitoire. La première est la tendance de long terme à l'expansion illimitée du crédit, tendance attestée par la hausse des ratios prêt-valeur dans le crédit immobilier et le crédit à la consommation, ainsi que par la part croissante du crédit dans le produit national brut (voir le graphique page suivante). Elle est la conséquence des politiques contracycliques menées en réaction à la Grande Dépression. Chaque fois que le système bancaire est en danger, ou qu'une récession se dessine, les autorités financières interviennent pour sauver la mise des établissements menacés et stimuler l'économie. Cette intervention a pour effet de soumettre le crédit à une stimulation asymétrique, également connue sous le nom d'aléa moral. La deuxième tendance est le rythme accéléré de l'innovation en matière financière, lié à l'assouplissement continu de la réglementation. La troisième est la mondialisation des marchés financiers. Celle-ci, comme nous le verrons, est également un phénomène structurellement asymétrique. Elle favorise les États-Unis et les autres pays développés qui sont au centre du système financier, et pénalise les économies moins développées qui sont à sa périphérie. Les disparités entre centre et périphérie sont souvent passées sous silence, mais elles ont joué un rôle majeur dans le développement de la super-bulle. Et, comme je l'ai dit, aussi bien la déréglementation que bon nombre d'innovations financières récentes sont fondées sur le postulat erroné que le marché tend vers l'équilibre et que les écarts sont aléatoires.

Endettement global du secteur non financier, en pourcentage du PIB américain

Federal Reserve, Bureau of Economic Analysis. Calculs de l'auteur. 2007 : trois premiers trimestres.

La super-bulle résulte de la convergence de ces trois tendances, et donc des trois failles qu'elles comportent. On peut dater la première tendance des années 1930, mais les deux autres ne se sont imposées que dans les années 1980. C'est donc de cette époque que l'on peut dater le début de la super-bulle, car c'est à cette époque que le fondamentalisme de marché est devenu le principe moteur du système financier international. Cela dit, il est clair que la super-bulle n'est pas un processus simple à retracer ni à expliquer.

La mondialisation

La mondialisation des marchés financiers a été l'un des grands succès du fondamentalisme de marché. Dès lors que le capital financier circule librement, il devient difficile à un État, quel qu'il soit, de lui imposer des taxes ou de le soumettre à des règles, car il peut aller ailleurs. Il se trouve ainsi placé dans une situation privilégiée. Les gouvernements sont souvent obligés de prêter davantage d'attention aux exigences du capital international qu'aux aspirations de leurs peuples. C'est en cela que la mondialisation des marchés financiers a si bien servi les objectifs des intégristes du marché. Le processus a commencé avec le recyclage des pétrodollars au lendemain du choc pétrolier de 1973, mais il s'est accéléré au cours des années Reagan-Thatcher, soit pendant toute la décennie 1980.

La mondialisation n'a pas abouti à cette égalité des conditions de concurrence que, selon le fondamentalisme de marché, le marché libre devait imposer. Le système financier international se trouve sous le contrôle d'un consortium d'autorités financières représentant les pays développés, et qui incarnent ce que l'on appelle le «consensus de Washington». Ces autorités s'efforcent d'imposer à chaque État une stricte discipline de marché, mais sont prêtes à assouplir les règles lorsque le système financier lui-même est en danger. Actuellement, les États-Unis, qui jouissent d'un droit de veto au sein des institutions de Bretton Woods — Fonds monétaire international (FMI) et Banque mondiale —, sont « plus égaux » que les autres, d'autant que le dollar sert de monnaie de réserve internationale, communément acceptée par les banques centrales du monde entier. Ils ont ainsi eu toute latitude pour mener des politiques contracycliques, alors que les pays en développement, et à un moindre degré les autres pays développés, étaient contraints de se serrer la ceinture. Mieux valait, dans ces conditions, détenir des actifs financiers placés au centre qu'à la périphérie. Toutes les barrières qui entravaient les mouvements de capitaux ayant été levées, l'épargne mondiale a été aspirée vers le centre pour être redistribuée depuis le centre. Par une sorte de coïncidence qui n'a rien de surprenant, les États-Unis ont développé, au cours des années Reagan, un déficit chronique des paiements courants, qui a continué de s'accroître depuis, atteignant 6,6 % du PIB au troisième trimestre de 2006. Le consommateur américain est devenu le moteur de l'économie mondiale.

La libéralisation

À la fin de la Seconde Guerre mondiale, l'activité financière — banques et marchés — était strictement réglementée. Les contraintes ont été progressivement desserrées au cours des années d'après-guerre, lentement d'abord, puis de façon accélérée, jusqu'à l'apothéose des années 1980. Étant donné que les marchés financiers ne tendent pas vers l'équilibre, leur libération a provoqué des crises récurrentes. La plupart de ces crises se sont déroulées dans les pays en développement, et peuvent être mises en partie, justement, sur le compte de leur développement insuffisant, mais certaines, notamment la crise financière internationale des années 1980 et la crise des marchés émergents en 1987-1988, ont mis en danger la stabilité du système tout entier. Dans ces deux cas, les autorités se sont montrées prêtes à assouplir les règles pour le sauver, mais la discipline de marché a continué de s'appliquer aux pays en développement.

Cette asymétrie, conjuguée avec l'incitation asymétrique à l'expansion du crédit dans les pays développés, a aspiré l'épargne mondiale de la périphérie vers le centre, et permis aux États-Unis de vivre avec un fort déficit chronique de leurs paiements courants et même, à partir de Reagan, avec un important déficit budgétaire. Celui-ci, paradoxalement, a servi à financer celui-là, car les pays excédentaires ont placé leurs surplus monétaires dans des obligations fédérales américaines. La situation était malsaine, car les capitaux fuyaient les pays en développement pour les États-Unis, dont le double déficit, commercial et budgétaire, alimentait massivement l'expansion du crédit. Ont également contribué fortement à cette expansion l'introduction de nouveaux produits financiers et le recours accru des banques — ainsi que de certains de leurs clients, notamment les *hedge funds* et les fonds de *private equity*[1] — à l'effet de levier. Un troisième facteur a été la politique du Japon, qui, au

1. Capital-investissement (*N.d.T.*).

sortir d'une bulle immobilière, a ramené à près de zéro ses taux d'intérêt — et continue de les y maintenir —, donnant naissance à ce que l'on appelle le *carry trade,* mécanisme de portage par lequel les établissements étrangers empruntent en yens tandis que les épargnants japonais investissent dans des monnaies plus rémunératrices, souvent avec un effet de levier.

Ces déséquilibres auraient pu continuer de s'aggraver indéfiniment, car les prêteurs et les emprunteurs étaient dans des dispositions identiques. Il y avait une relation symbiotique entre d'une part les États-Unis, satisfaits de consommer davantage qu'ils ne produisaient, d'autre part la Chine et les autres exportateurs asiatiques, heureux de produire davantage qu'ils ne consommaient. Les États-Unis accumulaient de l'endettement extérieur, la Chine et les autres pays des réserves de change. Une relation analogue prévalait entre les banques et leurs clients, surtout les *hedge funds* et les fonds de *private equity*, ainsi qu'entre prêteurs et emprunteurs hypothécaires.

La situation est devenue intenable à cause du développement de la bulle immobilière aux États-Unis et de l'apparition de nouveaux instruments financiers fondés sur un paradigme erroné. Les produits dérivés, les calculs de risque, les modèles de *proprietary trading*[1] reposaient en effet sur l'idée que les marchés tendent vers l'équilibre et que les écarts sont aléatoires. Ces innovations financières, qui se fondaient sur l'expérience, avec ce qu'il fallait de tolérance pour les écarts et pour les nou-

---

1. Courtage pour compte d'autrui (*N.d.T.*).

velles tendances émergentes, avaient le défaut de ne pas tenir compte de leur propre impact. Les ménages sont devenus de plus en plus dépendants de la croissance à deux chiffres de la valeur de leurs logements. Leur taux d'épargne est devenu négatif, et ils ont accru leur consommation en refinançant leurs hypothèques à un rythme sans cesse accru. L'extraction de capital hypothécaire a atteint, à son apogée, près de 1 000 milliards de dollars en 2006, soit 8 % du PIB américain — et davantage que le déficit de la balance des paiements courants. Lorsque les prix de l'immobilier résidentiel ont cessé d'augmenter, la tendance s'est ralentie, puis inversée. Les ménages se sont trouvés surexposés et surendettés. La consommation ne pouvait, dans ces conditions, que chuter. Sa contraction a suivi le schéma *boom-bust* classique, provoquant au passage une désaffection pour le dollar et une résorption des autres excès dus aux innovations des années précédentes. C'est en cela que la bulle immobilière et la super-bulle sont liées.

Pour bien comprendre ce qui est en train de se passer, il faut prendre conscience de la différence entre la crise présente et celles qui ont ponctué l'histoire financière depuis les années 1980. Les crises précédentes avaient en quelque sorte servi de « tests concluants ». Elles avaient renforcé à la fois la tendance dominante et l'interprétation erronée, également dominante, de la super-bulle. La crise actuelle joue un rôle différent : elle constitue le point de retournement, non seulement de la bulle immobilière, mais aussi de la super-bulle. Ceux qui ont soutenu mordicus que la crise des *subprimes* était un phénomène isolé n'ont pas compris la situation. Cette crise a été le détonateur qui a permis le dégonflement de la super-bulle.

S'il est donc clair, avec le recul, que les crises précédentes ont joué le rôle de «tests concluants», le rôle et l'importance de la crise actuelle apparaissent moins nettement. Lorsque je dis qu'elle marque la fin d'une époque, j'ai conscience qu'il ne s'agit pas d'une prévision scientifique, mais d'une affirmation qui demande à être étayée.

L'hypothèse de la super-bulle a pour elle des arguments non négligeables. Les conditions d'octroi de crédit ont été tellement assouplies que l'on imagine mal comment elles pourraient l'être davantage. Cela vaut pour les États-Unis, où le crédit hypothécaire, le crédit automobile, l'encours des cartes de crédit ont atteint des niveaux sans précédent. Cela vaut aussi pour certains autres pays développés, comme le Royaume-Uni ou l'Australie. Cela vaut peut-être aussi pour le crédit commercial, et en particulier pour les LBO et l'immobilier commercial. Mais on aurait pu dire la même chose lors des crises financières précédentes. Je l'ai d'ailleurs fait dans *La Crise du capitalisme mondial*, à l'époque de la crise des marchés émergents de 1997, et les faits m'ont donné tort. Il est impossible de prédire quelles nouvelles techniques de financement et quels nouveaux instruments de crédit seront inventés demain. Quelques banques ont ainsi pu, dans le contexte de crise actuel, reconstituer leurs fonds propres en faisant appel à des fonds souverains. D'une façon similaire, le Japon a émergé, après la débâcle boursière de 1987, en tant que prêteur et investisseur en dernier ressort. Quant à la Fed, elle a toujours, en cas de nécessité, la possibilité de faire imprimer davantage de dollars. Le raisonnement selon lequel nous sommes à court de nouvelles sources de financement n'est donc pas pleinement convaincant.

Plus convaincants sont les indices donnant à penser que, cette fois, la crise ne se limite pas à un segment particulier des marchés financiers, mais touche l'ensemble du système. Chaque jour qui passe rend plus improbable que la crise actuelle puisse faire figure de « test concluant ». La chute des marchés défie les efforts déployés par les autorités financières pour en reprendre le contrôle. Les banques centrales ont réussi à injecter des liquidités dans le système bancaire, mais les flux financiers des banques vers l'économie ont été perturbés plus fortement et plus longtemps que jamais auparavant. C'est la première fois depuis la Grande Dépression que le système financier international est proche de la déliquescence. C'est la différence essentielle entre la crise actuelle et les précédentes.

La question est bien celle-là : qu'est-ce qui distingue la crise actuelle des précédentes ? Les banques centrales jouent le même rôle contracyclique qu'avant, mais cette fois elles ont été lentes à réagir, en partie parce qu'elles prenaient sincèrement la crise des *subprimes* pour un phénomène isolé, en partie aussi parce qu'elles étaient préoccupées par l'aléa moral. Reste que, lorsqu'il est devenu clair que le dérèglement du secteur financier allait affecter l'économie réelle, elles se sont montrées prêtes, comme toujours, à apporter un stimulus monétaire et budgétaire. Leur capacité en la matière est toutefois contrainte par trois facteurs. En premier lieu, l'innovation financière a pris des proportions déraisonnables ces dernières années, à telle enseigne que certains des instruments financiers ou de marché récemment introduits se sont révélés malsains, et sont d'ailleurs en train de s'effondrer. Deuxièmement, l'empressement du reste du monde à détenir des dollars s'est amoindri, ce qui limite la possibilité de mener des politiques contracycliques qui risqueraient d'alimenter la désaffection pour le dollar et de ranimer le spectre de l'inflation galopante. La situation des États-Unis rappelle d'une certaine façon celle des pays de la périphérie. En d'autres termes, certains des avantages que leur conférait le contrôle incontesté du système ont disparu. Enfin, comme la solidité financière des banques est sérieusement affaiblie et qu'elles ne maîtrisent plus leur exposition au risque, elles ne sont ni disposées ni aptes à transmettre à leurs clients le stimulus apporté par la Fed. Ces trois facteurs rendent presque inévitable le ralentissement de l'économie, et ce qui aurait dû être un « test concluant » marque bien, en fait, la fin d'une époque.

Ces facteurs sont étroitement liés aux trois failles dont j'ai parlé plus haut, et qui ont permis le développement de la super-bulle. Ce sont eux qui lui donnent son ampleur exceptionnelle. Mais nous ne devons pas nous laisser obnubiler par elle, encore moins lui prêter des pouvoirs « magiques » comme ceux que Reagan attribuait au marché. Le schéma *boom-bust* n'a rien d'obligatoire ni de prédéterminé. Il n'est que l'une des manifestations des relations réflexives qui caractérisent les marchés financiers, et ne survient pas de façon isolée, même s'il lui arrive d'être si prononcé qu'on peut l'étudier comme si c'était le cas. Même dans le cas de la bulle immobilière, l'introduction de produits financiers synthétiques, comme les CDO, les « CDO au carré » ou les indices négociables, a modifié le cours des événements. La super-bulle, comme nous l'avons vu, est plus complexe, car elle inclut d'autres bulles et subit l'influence de nombreux autres facteurs. J'en ai cité quelques-uns : le boom des produits de base, l'essor de la Chine, etc. J'y reviendrai plus en détail lorsque je tenterai de reconstituer l'histoire de la super-bulle. Pour l'instant, mon propos est d'avertir ceux qui cherchent à faire entrer le cours des événements dans un schéma préétabli qu'ils risquent, ce faisant, de laisser de côté nombre d'autres facteurs importants. C'est l'inverse qu'il faut faire : adapter le schéma au cours réel des événements. C'est ainsi que je suis parvenu à l'idée de la super-bulle.

La réflexivité

Lorsque j'évoque un « nouveau paradigme », je ne pense pas au schéma *boom-bust*. Je pense à la théorie de la réflexivité, dont il ne constitue qu'un exemple convaincant. Il est convaincant parce qu'il montre que le comportement du marché est en contradiction radicale avec le paradigme dominant, qui veut que le marché tende vers l'équilibre. Il devrait l'être encore plus maintenant que les marchés sont en pleine tourmente. Le paradigme dominant échoue à expliquer ce qui est en train de se passer ; la théorie de la réflexivité y parvient. Mais il y a bien d'autres raisons pour changer de paradigme. L'idée que le marché tend vers l'équilibre est directement responsable des turbulences actuelles ; elle encourage les régulateurs à fuir leur responsabilité et à se reposer sur les mécanismes du marché pour en corriger les excès. Quant à l'idée que les prix, au-delà de leurs fluctuations aléatoires, tendent à revenir à une moyenne de marché, elle a servi de justification au développement de produits financiers et de pratiques d'investissement qui sont précisément en train de s'effondrer.

La théorie de la réflexivité diffère par son caractère de la théorie de l'équilibre. Cette dernière prétend au statut de théorie scientifique au sens poppérien du terme. Elle propose, à l'instar des sciences de la nature, des lois à validité universelle, qui puissent être invoquées pour fournir aussi bien des prédictions que des explications déterminées. La théorie de la réflexivité n'a pas de telles prétentions. Elle se contente d'affirmer que la réflexivité, chaque fois qu'elle est en jeu, introduit dans le cours des événements un élément d'indétermination, et qu'il serait donc inapproprié de chercher des théories fournissant des prédictions déterminées.

Je crois que la théorie de la réflexivité est mieux à même d'expliquer la situation actuelle que ne l'est le paradigme dominant, mais force est de reconnaître que, contrairement à ce dernier, elle ne peut nous offrir de généralisations comme celles que nous proposent les sciences de la nature. Elle affirme que les phénomènes sociaux sont fondamentalement différents des phénomènes naturels, dans la mesure où ils font intervenir des acteurs pensants, dont les conceptions erronées et les opinions biaisées introduisent un élément d'incertitude dans le cours des événements. Ceux-ci suivent un chemin unidirectionnel, qui n'est pas déterminé à l'avance par des lois à validité universelle, mais procède de l'interaction réflexive entre la pensée des acteurs et la réalité. La théorie de la réflexivité peut donc expliquer les événements avec une plus grande certitude qu'elle ne peut prédire l'avenir, à la différence de ce que l'on attend généralement d'une théorie scientifique. Pour admettre la réflexivité, les chercheurs en sciences sociales, et les économistes en particulier, devraient réviser radicalement leur manière d'interpréter le monde. C'est parce qu'ils ne l'ont pas fait jusqu'à présent que la réflexivité n'est pas le paradigme dominant. Mais la gravité de la crise financière actuelle peut l'aider à le devenir.

Il y a quelque vingt ans que je développe ma théorie, mais elle n'a pas été prise au sérieux. J'en suis même parfois venu à douter de son intérêt. J'admets bien volontiers que je ne l'ai pas exposée de façon assez précise et consistante, et sans doute pourrais-je continuer encore de l'améliorer. En revanche, il ne fait plus pour moi le moindre doute qu'elle permet d'expliquer la situation actuelle mieux que ne le fait le paradigme dominant. Reste à voir jusqu'à quel point elle peut être encore développée. Je suis allé aussi loin que pouvait aller un homme seul. Il faut maintenant que d'autres prennent le relais. C'est ce qui m'a décidé à écrire ce livre.

Selon le nouveau paradigme que j'entends promouvoir, c'est en termes historiques que l'on peut interpréter les événements survenant sur les marchés financiers. Si le passé est déterminé de façon définitive, l'avenir, lui, est incertain. Il est donc plus facile d'expliquer comment nous en sommes arrivés à la situation actuelle que de prédire à quoi elle va aboutir. Il n'y a pas aujourd'hui un processus unique, mais plusieurs, qui sont simultanément à l'œuvre ; cela rend exceptionnellement vaste le champ des possibles. Les explications elles-mêmes ne vont toutefois pas sans difficulté : l'histoire a beau être déterminée de façon définitive, elle est si touffue que l'on ne peut la comprendre sans ramener à un nombre raisonnable l'ensemble des événements et des processus en cause. C'est en cela que l'hypothèse de la super-bulle est utile. Lorsque l'on étudie l'histoire, une hypothèse peut aider à trier, parmi ces événements et ces processus, ceux qui méritent le plus de considération.

L'hypothèse de la super-bulle pourrait servir à élaborer une histoire financière globale de l'après-guerre, dont le point culminant serait la crise actuelle. Mais cela dépasse le propos de ce livre — et ma propre compétence. Au lieu de cela, je retracerai plutôt, dans le prochain chapitre, quelque cinquante-cinq années d'expérience des marchés financiers — une sorte d'histoire personnelle de cette période, brossée à grands traits. Cela me semble plus éclairant qu'un récit historique détaillé. Puis, dans le chapitre suivant, je m'efforcerai de me projeter dans l'avenir, en publiant les prévisions que j'avais faites par-devers moi, au début du mois de janvier, pour l'année en cours, et les modifications que j'ai été amené à y apporter dès le mois de mars. Il s'agit, par cette « expérience en temps réel », d'éclairer la façon dont mon approche fonctionne en pratique. Enfin, j'apporterai quelques pistes quant aux politiques publiques à mener en réponse à la crise.

6

Autobiographie d'un spéculateur à succès

M'être occupé de marchés financiers pendant plus d'un demi-siècle me procure l'avantage de conserver un souvenir fidèle de leur évolution. Je les ai vus, au cours de ma carrière, changer au point de devenir méconnaissables. Certaines pratiques qui paraîtraient totalement incongrues aujourd'hui étaient autrefois acceptées comme naturelles, voire inévitables, et inversement. Certains instruments financiers, certaines techniques de financement dont l'usage est désormais répandu, auraient été naguère inconcevables. Je me souviens du temps où j'étais jeune *arbitrage trader* spécialisé dans les warrants et les obligations convertibles. Je rêvais de créer des warrants négociables adossés à des actions, mais les régulateurs ne l'auraient évidemment pas permis. J'étais loin d'imaginer toute la variété des produits financiers synthétiques qui se négocient de nos jours sur les marchés.

À la fin de la Seconde Guerre mondiale, le secteur de la finance — banques, courtiers et autres établissements financiers — jouait dans l'économie un rôle très différent de celui qu'elle joue aujourd'hui. Les banques comme les marchés étaient strictement réglementés. L'encours total du crédit, rapporté à la taille de l'économie, était bien moindre qu'aujourd'hui, et les montants que l'on pouvait emprunter en apportant une garantie donnée étaient bien moindres également. Pour un prêt hypothécaire, il était exigé au moins 20 % d'apport personnel, et les emprunts garantis par des actions étaient soumis à des exigences prudentielles strictes, qui limitaient les prêts à 50 % au plus de la valeur de la garantie. Les prêts à l'achat d'une automobile, pour lesquels un apport personnel était nécessaire, ont été largement remplacés par le crédit-bail, qui n'en requiert aucun. Les cartes de crédit n'existaient pas, et le crédit non garanti était rarissime. Les établissements financiers ne représentaient qu'un faible pourcentage de la capitalisation boursière américaine. Un très petit nombre seulement de sociétés financières étaient cotées à la Bourse de New York. Les actions des banques se négociaient généralement hors cote, parfois même sur rendez-vous uniquement.

Les transactions financières internationales étaient soumises par la plupart des États à de strictes limitations, et les mouvements internationaux de capitaux étaient de faible ampleur. Les institutions de Bretton Woods (FMI et Banque mondiale) ont été justement créées pour faciliter le commerce international et compenser la faiblesse de l'investissement international privé. Elles l'ont été à l'initiative des États-Unis, après des pourparlers avec une délégation britannique conduite par John Maynard Keynes. Les Britanniques proposaient, les États-Unis disposaient. Les actionnaires des institutions de Bretton Woods étaient les gouvernements des pays développés, mais les États-Unis disposaient d'un droit de veto.

Le système monétaire international était officiellement fondé sur l'étalon-or, mais le dollar était la monnaie internationale de fait. Les prix de l'or étaient fixés en dollars. Pendant quelque temps, les pays du Commonwealth sont restés arrimés à la livre sterling, mais comme celle-ci ne cessait de se déprécier, la zone sterling s'est progressivement désintégrée. Au lendemain de la guerre, il y avait une pénurie aiguë de dollars, et les États-Unis ont lancé le plan Marshall pour favoriser la reconstruction de l'Europe. Peu à peu, la pénurie de dollars a pris fin, et la situation s'est inversée avec la constitution du Marché commun européen et la renaissance du Japon — suivie, plus tard, par celle des «Tigres» asiatiques. Les sorties massives de capitaux, les déficits commerciaux et la guerre du Vietnam se sont conjugués pour mettre le dollar sous pression. Mais le contrôle du système financier international restait entre les mains des pays développés, avec les États-Unis en position dominante. Lorsque, le 15 août 1971, la convertibilité du dollar en or a été suspendue, la monnaie américaine était la principale devise que les banques centrales du monde entier avaient en réserve.

J'ai commencé ma carrière en 1954 comme stagiaire dans une banque d'affaires de Londres, et j'y ai appris le métier d'*arbitrage trader* sur actions. L'arbitrage consiste à tirer parti des légères différences de cours qui existent d'un marché à l'autre. Les transactions internationales, à l'époque, se limitaient pour ainsi dire au pétrole et à l'or, et requéraient l'utilisation d'une monnaie spécifique, appelée *switch sterling* ou *premium dollar*. Les taux de change étaient fixes, mais les monnaies utilisées pour les mouvements de capitaux oscillaient au-delà de la bande officielle de fluctuation, au gré de l'offre et de la demande.

Je suis parti pour les États-Unis en 1956. Les investisseurs y ont manifesté, dès la création du Marché commun, un vif intérêt pour les titres européens, intérêt que j'ai partagé en tant que *trader* comme en tant qu'analyste. Ce champ d'activité a connu une fin brutale en 1963, lorsque le président John F. Kennedy a instauré une « taxe d'égalisation des intérêts », qui renchérissait de 15 % l'achat de titres étrangers sur les marchés extérieurs. Je me suis donc progressivement réorienté vers les valeurs américaines, d'abord comme analyste, puis comme gestionnaire de *hedge fund*. J'appartiens en effet à la toute première génération de gestionnaires de *hedge fund*. Nous n'étions pas plus d'une poignée lorsque j'ai commencé.

J'ai été témoin, en tant qu'analyste, de l'éveil progressif du secteur bancaire. En 1972, j'ai écrit une étude intitulée *Pour des banques de croissance*. À l'époque, en effet, les banques étaient considérées comme les établissements les plus vieillots et poussiéreux qui soient. Leurs dirigeants étaient restés traumatisés par les faillites des années 1930, et la sécurité primait toute autre considération, y compris le profit et la croissance. La structure du secteur était pratiquement gelée par la réglementation. Aux États-Unis, il était interdit aux établissements de franchir les limites entre États, et même, dans certains États, de créer un réseau de succursales. C'était une profession terne, qui attirait des hommes ternes, et où il y avait donc fort peu d'innovation et de mouvement. Les actions des banques étaient d'ailleurs dédaignées par les investisseurs en quête de gains en capital.

Je soulignais, dans mon étude, que les choses étaient en train de changer, mais que ce changement n'était pas encore perçu par les investisseurs. Une nouvelle race de banquiers était en train de naître, qui avaient fait leurs études dans des écoles de commerce et pensaient en termes de résultat d'exploitation. Le foyer spirituel de cette nouvelle école de pensée était la First National City Bank, alors dirigée par Walter Wriston, et dont les cadres essaimaient vers d'autres établissements pour y porter la bonne parole. Des instruments financiers d'un type nouveau commençaient à apparaître, et certaines banques faisaient un usage offensif de leur capital, ce qui leur permettait de réaliser des bénéfices plus qu'honorables. Les plus dynamiques d'entre elles affichaient un taux de retour sur fonds propres de 13 %. Dans n'importe quel autre secteur, un tel pourcentage, combiné à une croissance de plus de 10 % du bénéfice par action, aurait été récompensé par une solide surcote du titre, mais ce n'était pas le cas des actions des banques. Reste que nombre d'établissements avaient atteint la limite de ce qui était considéré comme prudent, selon les critères de l'époque, en matière d'effet de levier, et avaient besoin, pour continuer à se développer, de fonds propres supplémentaires. C'est dans ce contexte que la First National City Bank a organisé un dîner d'analystes financiers — événement sans précédent dans la profession.

C'est aussi ce qui m'a décidé à publier mon étude, dans laquelle j'annonçais que les actions des banques allaient se réveiller car leurs dirigeants avaient d'excellents atouts en main, et commençaient d'ailleurs à les jouer. De fait, les valeurs du secteur ont connu une évolution très satisfaisante en 1972, et j'ai fait environ 50 % de plus-value sur la sélection d'actions que j'avais achetées pour mon *hedge fund*.

Puis est venu le premier choc pétrolier de 1973, et les grandes banques internationales se sont trouvées engagées dans le recyclage des pétrodollars. C'est alors qu'est né le marché de l'eurodollar, et qu'a commencé le grand boom du crédit à l'échelle mondiale. L'essentiel de l'activité se faisait à l'étranger, et les banques américaines se constituaient en holdings pour échapper à la réglementation fédérale. Beaucoup de nouveaux produits financiers, de nouvelles techniques de financement ont été inventés à cette époque, et la banque est devenue une activité bien plus sophistiquée qu'elle ne l'était seulement quelques années auparavant. L'explosion du crédit international entre 1973 et 1979 a été pour beaucoup dans la croissance inflationniste mondiale des années 1970. Les États-Unis sont restés à l'écart de cette croissance. Ils étaient en proie à la stagflation — un mélange d'inflation forte et de chômage élevé.

En 1979, le second choc pétrolier a ravivé les tensions inflationnistes. Pour les réduire, la Fed a appliqué les thèses monétaristes de Milton Friedman. Au lieu de contrôler, comme elle l'avait fait jusque-là, les taux d'intérêt à court terme, elle a fixé des objectifs d'offre de monnaie et laissé fluctuer librement le taux des fonds fédéraux. Cette nouvelle politique a été mise en œuvre dès octobre 1979, et les taux d'intérêt étaient déjà à des niveaux records quand Ronald Reagan a pris ses fonctions en janvier 1981.

Le président Reagan croyait à l'économie de l'offre et à une posture militaire offensive. Dans son premier budget, il a simultanément baissé les impôts et accru les dépenses militaires. Bien qu'un effort concerté ait été consenti pour réduire les dépenses civiles, les économies n'étaient pas assez importantes pour équilibrer les deux autres orientations. La plus forte pente était donc celle d'un déficit budgétaire élevé.

Ce déficit devant être financé dans le strict respect des objectifs fixés en matière d'offre de monnaie, les taux d'intérêt ont atteint de nouveaux records. La contradiction entre politique budgétaire et politique monétaire a amené, en fait de croissance, une sévère récession. C'est donc dans ce contexte de récession chez son puissant voisin que le Mexique, où les taux d'intérêt étaient plus élevés qu'attendu, a menacé, en août 1982, de ne plus honorer le service de sa dette extérieure. Ainsi a commencé la crise financière internationale des années 1980, qui a dévasté l'Amérique latine et d'autres économies en développement.

La Fed a réagi à la crise en desserrant son étreinte sur

l'offre de monnaie. Mais l'aggravation du déficit budgétaire n'en était qu'à son début. Les freins une fois lâchés, l'économie a pris son envol, et la reprise a été aussi vigoureuse que la récession avait été rude. Elle a été stimulée par une frénésie dépensière, tant de la part des ménages que des entreprises, avec la bénédiction du secteur bancaire. Les dépenses militaires étaient en pleine croissance, les ménages bénéficiaient de revenus réels en hausse, les entreprises d'un régime d'amortissement accéléré et d'autres réductions d'impôt. Les banques étaient plus que disposées à prêter car chaque nouvel octroi de crédit, ou presque, avait pour effet d'améliorer la qualité de leur portefeuille de prêts. La demande globale qui émanait de ces différentes sources était si forte que les taux d'intérêt, après une baisse initiale, se sont stabilisés à des niveaux historiquement élevés, puis se sont même remis à augmenter. Les capitaux étrangers affluaient, attirés en partie par le rendement élevé des actifs financiers et en partie par la confiance qu'inspirait le président Reagan. Le dollar se renforçait, et l'appréciation de la monnaie, conjuguée à un différentiel positif de taux d'intérêt, rendait l'attrait du dollar irrésistible. Le taux de change stimulait les importations, aidant ainsi à satisfaire le surcroît de demande en même temps qu'à contenir le niveau des prix. Se trouvait enclenché un processus cumulatif, dans lequel une économie forte, une monnaie forte, un déficit budgétaire élevé et un déficit commercial également élevé se renforçaient mutuellement, pour produire une croissance non inflationniste. Dans *L'Alchimie de la finance,* j'ai appelé cette relation circulaire le «cercle impérial de Reagan», car cette politique revenait à financer une posture militaire offensive en attirant marchandises et capitaux en provenance de l'étranger. Le cercle était vertueux au centre et vicieux à la périphérie[1]. C'est ainsi que s'est creusé le déficit américain des paiements courants, et que les États-Unis sont devenus consommateurs en dernier ressort, ce qu'ils ont continué d'être, avec des hauts et des bas, jusqu'à aujourd'hui.

La crise financière internationale a été endiguée par l'intervention active et inventive des autorités. Injecter des liquidités dans le système bancaire ne suffisait pas. L'encours de la dette souveraine excédait de beaucoup les fonds propres des banques; si les États débiteurs avaient été autorisés à faire faillite, c'est le système bancaire tout entier qui serait devenu insolvable. L'événement s'était produit pour la dernière fois en 1932, et cela avait été la cause de la Grande Dépression, dont le seul souvenir rendait impensable une telle issue. Les banques centrales, sortant de leur rôle traditionnel, se sont donc liguées pour sauver la mise aux pays débiteurs. Il y avait eu un précédent en 1974, lorsque la Banque d'Angleterre s'était résolue à voler au secours des *fringe banks*[2], qui étaient pourtant hors de sa sphère de responsabilité, plutôt que de laisser entacher la répu-

---

1. J'ai utilisé le cercle impérial de Reagan comme exemple de processus réflexif circulaire, à distinguer du modèle *boom-bust*.

2. Établissements non bancaires, ne relevant pas de la surveillance des autorités de régulation, et distribuant des crédits à une clientèle locale souvent peu fortunée, à des taux élevés (*N.d.T.*).

tation des banques de compensation, envers lesquelles elles étaient lourdement endettées[1]. Mais la crise de 1982 a été la première à l'occasion de laquelle une stratégie de sauvetage des débiteurs a été mise en œuvre à l'échelle internationale.

Les banques centrales n'ayant pas assez d'autorité pour appliquer seules une telle stratégie, il a fallu trouver des arrangements, auxquels ont été associés les gouvernements de tous les pays créditeurs, et dans lesquels le FMI a joué un rôle clé. Pour chaque pays, un plan global de sauvetage a été élaboré. Le principe de base était que les banques de détail étendaient leurs engagements, que les institutions monétaires internationales injectaient de l'argent frais, et que les pays débiteurs acceptaient des programmes d'austérité visant à améliorer leur balance des paiements. Dans la plupart des cas, les banques de détail ont dû elles aussi fournir des liquidités supplémentaires, afin que les États puissent continuer à payer les intérêts de leur dette. Ces plans de sauvetage ont été un remarquable succès de la coopération internationale. Les partenaires étaient le FMI, la Banque des règlements internationaux, un certain nombre de gouvernements et de banques centrales, et un nombre plus grand encore de banques commerciales — plus de cinq cents, par exemple, dans le cas du Mexique.

Si j'ai étudié de près cette crise et son dénouement, c'est parce que j'étais fasciné par ses aspects systémiques. J'y ai consacré une série d'études, diffusées par Morgan

---

1. Le précédent a servi pour le sauvetage de Bear Stearns en mars 2008.

Stanley, dans lesquelles j'analysais, sous le nom de « système collectif de prêt », les solutions échafaudées par les autorités financières internationales. La solidarité du « Collectif » reposait sur la peur de l'insolvabilité ; il fallait préserver à tout prix l'intégrité de la dette. On a donc laissé les pays débiteurs se débrouiller tout seuls ; on les a simplement autorisés à rembourser moins à chaque échéance, mais pendant plus longtemps, ce qui représentait un alourdissement de leurs obligations futures. Ils ont néanmoins accepté les termes de l'accord, certes pour conserver leur accès aux marchés de capitaux et pour éviter la saisie de leurs actifs, mais aussi par peur de l'inconnu. Les programmes d'austérité qu'ils ont dû mettre en œuvre ont eu pour effet d'améliorer leurs balances commerciales, mais sans que cette amélioration suive toujours le rythme d'accumulation de la dette. Conscientes du problème, les banques constituaient des provisions pour créances douteuses ; mais à l'époque où j'ai commenté la situation dans *L'Alchimie de la finance*, aucun moyen n'avait été trouvé pour en répercuter le coût sur les débiteurs sans mettre à mal le principe de solidarité qui régissait le « collectif ». La difficulté a finalement été surmontée par la création des *Brady bonds*[1], mais la plupart des pays d'Amérique latine y ont perdu dix ans de croissance.

Les crises précédentes avaient abouti à un contrôle plus strict des entités fautives, afin de prévenir la réci-

---

1. Obligations créées en 1979 à l'initiative de Nicholas Brady, secrétaire américain au Trésor, afin de transformer la dette souveraine des pays en développement en un instrument financier plus liquide (*N.d.T.*).

dive. Mais, sous l'influence du fondamentalisme de marché, devenu la croyance dominante des années Reagan, la crise financière internationale a conduit au résultat opposé : les banques américaines se sont vu accorder une plus grande latitude d'action. Presque toutes les restrictions qui leur avaient été imposées lors de la Grande Dépression ont été progressivement levées : elles ont été autorisées à développer des réseaux de succursales, à être présentes dans plusieurs États, à diversifier leurs activités. La séparation entre banques d'affaires et banques de détail s'est estompée, pour finalement disparaître. Ayant été pénalisées par le «système collectif de prêt», elles avaient la hantise de conserver des prêts dans leur bilan, et préféraient les restructurer pour les revendre à des investisseurs non soumis à la surveillance et aux pressions des autorités de régulation. Des instruments financiers plus sophistiqués encore ont été inventés, ainsi que de nouvelles techniques pour extraire les actifs des bilans. C'est à partir de ce moment que la super-bulle a vraiment commencé à gonfler.

Ces nouvelles techniques et ces nouveaux instruments étaient entachés d'un vice rédhibitoire. Ils reposaient sur le postulat que les marchés financiers tendent vers l'équilibre, qu'ils peuvent certes s'en écarter temporairement, mais que les écarts sont aléatoires et que les valeurs finissent par rejoindre une moyenne de marché. Le passé était censé servir de guide pour l'avenir. Or, ce postulat passait sous silence l'impact des nouveaux instruments et des nouvelles techniques, qui ont modifié le fonctionnement des marchés financiers jusqu'à le rendre méconnaissable. Je parle en connaissance de cause : je ne l'ai pas reconnu lorsque j'y suis revenu au début des années 1990, après plusieurs années d'absence.

Je date le début de la mondialisation, comme celui de la super-bulle, de 1980 environ, c'est-à-dire de l'arrivée au pouvoir de Ronald Reagan et de Margaret Thatcher dans leurs pays respectifs. La période qui s'est écoulée depuis a été ponctuée d'effondrements de différents segments du marché. La frénésie prêteuse des années 1970 a abouti à la crise financière internationale de 1982. Les excès de l'assurance de portefeuille ont transformé, en octobre 1987, une simple baisse des cours en une chute sans précédent. L'assurance de portefeuille impliquait en effet le recours aux *knock-out options*[1], mais sur une échelle si grande que ces options ne pouvaient être exercées sans provoquer une discontinuité funeste. Des épisodes semblables se sont produits sur d'autres marchés, mais sur une échelle moindre ; j'ai ainsi été le témoin d'une crise des taux de change entre le dollar et le yen. Le découpage en tranches des crédits hypothécaires a provoqué en 1984, dans la tranche dite des « déchets toxiques », un mini-krach qui a fait quelques victimes. En 1998, lors de la crise des marchés émergents, le défaut de paiement de la Russie a provoqué l'insolvabilité de LTCM, un puissant *hedge fund* à très fort effet de levier, menaçant la stabilité du système financier. La Fed a été amenée à baisser les taux d'inté-

---

1. Options « à barrière désactivante », c'est-à-dire qui ne sont plus exerçables lorsque le cours de l'actif sous-jacent a atteint une certaine limite fixée à l'avance (*N.d.T.*).

rêt et à organiser le sauvetage concerté de LTCM par ses créanciers. Ces incidents n'ont pas suscité de réformes allant dans le sens d'une régulation renforcée ; au contraire, la capacité du système à surmonter ces tensions n'a fait que renforcer l'hégémonie du fondamentalisme de marché, et favoriser un assouplissement de l'environnement réglementaire.

Puis il s'est produit l'éclatement de la bulle technologique en 2000 et l'attaque terroriste du 11 septembre 2001. Pour prévenir une récession, la Fed a ramené à 1 % le taux des fonds fédéraux, et l'a maintenu à ce niveau jusqu'en juin 2004. Cela a donné naissance à la bulle immobilière, dans laquelle les innovations financières ont joué un rôle majeur. Les risques étant disséminés, il y avait davantage de risques à prendre. Malheureusement, ces risques ont été transférés d'individus qui étaient censés en être conscients à des individus qui l'étaient moins. Pis encore, les nouveaux instruments financiers et les nouvelles techniques de financement étaient si sophistiqués que les autorités de régulation — comme d'ailleurs les agences de notation — n'ont plus été capables de calculer les risques, et sont donc devenues tributaires des méthodes de calcul développées par les établissements eux-mêmes. L'accord international de 2004 relatif aux fonds propres réglementaires et à la discipline de marché — dit « Bâle II » — permet d'ailleurs aux plus grandes banques de se reposer sur leur propre système de gestion des risques.

Je trouve particulièrement choquant que les autorités de régulation abdiquent ainsi leurs responsabilités. Elles ne devraient pas autoriser les établissements placés sous leur surveillance à prendre un risque qu'elles-mêmes sont incapables de calculer. Les méthodes de calcul des banques sont fondées sur le postulat que le système lui-même est stable. Mais, contrairement à ce que prétend la vulgate du fondamentalisme de marché, la stabilité des marchés financiers n'est pas garantie ; elle a besoin d'être soutenue activement par les autorités. En se reposant sur les calculs de risque des acteurs du marché, les régulateurs ont baissé les bras et ouvert une période d'expansion incontrôlée du crédit. En particulier, les calculs de VAR (*value-at-risk*) reposent sur l'historique des actifs. Or, en l'absence d'un véritable contrôle de l'octroi de crédit, le passé devient un mauvais guide pour le présent. De fait, les modèles tablaient sur des écarts limités, mais des écarts plus importants, qui étaient supposés rester exceptionnels, se sont produits avec une fréquence imprévue. Ce qui aurait dû être un signal d'alarme a été largement ignoré par les régulateurs comme par les acteurs, qui se sont bornés à introduire des « tests de stress » destinés à prouver à quel point ils étaient bien préparés à l'imprévisible.

De façon analogue, les divers titres hypothécaires synthétiques reposaient sur l'hypothèse que la valeur globale de l'immobilier aux États-Unis ne baisserait jamais : des fluctuations régionales étaient certes susceptibles de se produire, mais le marché dans son ensemble devait rester stable. C'est pourquoi des titres diluant le risque entre différentes régions du pays semblaient plus sûrs que des hypothèques individuelles. C'était négliger la possibilité d'une bulle immobilière nationale de l'ampleur qui a été, en fin de compte, la sienne.

Les autorités de régulation auraient dû être plus prévoyantes. Elles savaient parfaitement, pour avoir eu à intervenir relativement souvent, que leur intervention engendrait un aléa moral. Elles ont feint d'invoquer celui-ci, mais pour justifier, au moment crucial, le sauvetage des établissements jugés trop gros pour qu'on les laisse faire faillite. Elles étaient conscientes que leur intervention créait des incitations asymétriques favorisant l'expansion illimitée du crédit, mais elles étaient à ce point grisées par le credo dominant du fondamentalisme de marché — et par leur propre succès — qu'elles ont fini par croire les marchés capables de se réguler eux-mêmes. C'est ainsi que l'expansion du crédit a atteint des niveaux insoutenables.

Le meilleur moment, pour freiner le développement du crédit, se situe pendant une phase de forte expansion de celui-ci. Les banques centrales réagissent à la hausse des prix et des salaires, mais ne se sentent pas concernées par celle des actifs. Alan Greenspan, alors président de la Fed, a certes fustigé, en décembre 1996, l'« exubérance irrationnelle » de la Bourse, mais n'est pas allé au-delà des discours, et a cessé d'en faire lorsqu'il a constaté qu'ils n'avaient pas eu l'effet désiré. Greenspan avait une connaissance plus profonde des processus économiques que la plupart des experts, et savait user de la fonction manipulatrice pour faire passer ses idées. J'étais impressionné par son approche prospective, dynamique, qui contrastait fortement avec celle, statique et passéiste, des banquiers centraux européens. On peut cependant lui reprocher d'avoir laissé ses idées politiques, inspirées d'Ayn Rand[1], interférer davantage que nécessaire avec ses fonctions de président de la Fed. Il a soutenu les baisses d'impôt consenties par Bush aux 1 % d'Américains les plus riches, et préconisé de réduire le déficit budgétaire en taillant dans les dépenses sociales et les dépenses d'intervention. Et le fait d'avoir maintenu à 1 % le taux des fonds fédéraux plus longtemps que nécessaire n'était sans doute pas sans lien avec les élections de 2004. C'est donc avec quelque raison que l'on peut lui imputer la responsabilité de la bulle immobilière.

Ben Bernanke, son successeur, est davantage un théoricien, et n'a pas les talents de manipulateur de Greenspan. Tout comme Mervyn King, de la Banque d'Angleterre, il fait preuve d'un souci aigu de l'aléa moral, et c'est d'ailleurs en grande partie pourquoi tous deux ont tardé à réagir à l'éclatement de la bulle immobilière en 2007. Les banques centrales des deux pays ont systématiquement ignoré ou sous-estimé les excès et les abus du crédit hypothécaire et leur effet sur l'économie réelle. La Fed avait légalement autorité pour réguler le crédit hypothécaire, mais elle ne l'a pas exercée. Quant au département du Trésor, il est resté totalement passif durant cette période, et n'est sorti de son inaction que lorsque la crise a atteint un stade avancé. Il n'a renforcé la réglementation du crédit hypothécaire qu'une

1. Philosophe rationaliste américaine (1902-1985), proche du mouvement « libertarien » (hostile à l'intervention de l'État dans la vie sociale) (*N.d.T.*).

fois achevée la décrue de celui-ci, et s'est contenté de prôner la coopération volontaire entre créanciers pour limiter les dégâts. Cette approche avait fonctionné lors de la crise financière internationale des années 1980 parce que les banques centrales avaient une influence directe sur les banques de détail concernées. Mais la crise actuelle est incomparablement plus complexe, car les crédits hypothécaires ont été découpés en tranches, restructurés et revendus, et la coopération volontaire entre des acteurs qui ne se connaissent pas est difficile, sinon impossible, à organiser. La tentative de créer un « super-SIV » pour conjurer le risque que les SIV soient contraints de se débarrasser de leurs actifs est mort-née ; quant aux arrangements destinés à soulager les emprunteurs faisant face à un bond de leurs mensualités à l'expiration du taux réduit initial, soit au bout de dix-huit mois, ils n'auront que des effets limités. Les sociétés de gestion hypothécaire sont submergées de demandes de renégociation, et ne sont pas financièrement incitées à y accéder. Quelque 2,3 millions d'emprunteurs sont concernés, dont beaucoup ont été abusés par des prêteurs peu scrupuleux. Au bout du compte, la crise immobilière aura des conséquences sociales considérables, et on ne peut guère attendre du gouvernement actuel qu'il fasse grand-chose pour y parer. C'est donc au prochain président qu'il incombera de faire face à cette sombre réalité, dont on pourra alors prendre l'exacte mesure.

Je n'ai observé que de loin l'évolution de la bulle immobilière, car je ne m'occupais plus directement de la gestion de mon fonds. Je l'avais d'ailleurs transformé, après le départ de mon associé en 2001, en un *endowment fund*, moins offensif, sa tâche première étant de gérer les actifs de mes fondations. Je voyais néanmoins très clairement qu'une super-bulle était en train de se développer et que cela ne pouvait que mal finir. Je l'ai même annoncé publiquement dans un livre publié en 2006 — et je n'étais pas seul à tirer le signal d'alarme. La communauté des investisseurs était violemment divisée entre les vieilles barbes comme moi et une génération plus jeune, qui avait foi en les nouveaux instruments et en les nouvelles techniques, dont elle savait se servir. Il y avait toutefois, parmi eux, des exceptions, la plus notable étant John Paulson, qui s'est assuré contre la défaillance des crédits *subprime*, et a ainsi récupéré plusieurs fois sa prime. Je l'ai invité à déjeuner pour essayer de comprendre comment l'idée lui était venue.

En août 2007, lorsque la crise a éclaté, j'ai considéré la situation comme assez grave pour ne pas laisser à d'autres le soin de gérer mes avoirs. J'ai donc repris le contrôle de mon fonds, en créant un « macro-compte » chapeautant tous les autres. Ma conviction était que le monde développé, et les États-Unis en particulier, allait au-devant de sérieuses difficultés, mais qu'ailleurs de puissantes forces positives étaient à l'œuvre, comme en Chine, en Inde et dans certains pays producteurs de pétrole et de matières premières. Nous avions dans les Bourses de ces pays de fortes positions longues, que j'ai voulu protéger en prenant de fortes positions courtes dans celles du monde développé. Faute de connaître en détail ces nouveaux marchés, je n'avais à ma disposition que des outils émoussés, comme les indices négociables sur actions ou encore les monnaies, mais ma stratégie a été couronnée de succès malgré tout, avec naturellement des hauts et des bas. Le marché était devenu extrêmement volatil, et il fallait des nerfs d'acier pour s'accrocher à une position courte.

7

Mes perspectives pour l'année 2008

J'avais mené, dans *L'Alchimie de la finance*, une expérience en temps réel, où je notais mes décisions de gestionnaire de *hedge fund* à mesure que je les prenais. Je réédite ici l'exercice.

1er janvier 2008

La théorie de la réflexivité n'offre pas de prédictions solides. Elle aide, en revanche, à formuler des conjectures sur ce que l'avenir nous réserve.

1. Une période de soixante ans d'expansion du crédit, fondée sur l'exploitation par les États-Unis de leur position centrale au sein du système financier mondial et sur leur contrôle de la monnaie de réserve internationale, a pris fin. La crise financière actuelle aura des conséquences plus graves et plus durables que les précédentes crises comparables. Chaque crise se manifeste par un resserrement temporaire du crédit. Les banques centrales fourniront des liquidités temporaires, ainsi

qu'elles l'ont fait dans le passé, de sorte que la phase aiguë de la crise sera maîtrisée comme à l'accoutumée ; le système bancaire international ne s'effondrera pas comme il l'a fait dans les années 1930. Mais, alors que chacune des crises précédentes avait été suivie d'une nouvelle période de croissance, stimulée par l'argent facile et par de nouveaux modes de développement du crédit, il faudra cette fois beaucoup plus de temps pour que la croissance reprenne. La capacité de la Fed à baisser les taux d'intérêt sera diminuée par la réticence du reste du monde à détenir des dollars ou des obligations à long terme libellées en dollars. Certains instruments financiers récemment introduits se seront révélés malsains et seront abandonnés. Certains grands établissements financiers risquent de devenir insolvables, et le crédit sera plus difficile à obtenir. Le montant du crédit que l'on pourra souscrire avec une garantie donnée baissera fortement, et son coût s'élèvera. L'envie d'emprunter et le goût du risque se réduiront sans doute aussi. Et l'un des principaux facteurs de l'expansion du crédit, le déficit américain des paiements courants, a son pic derrière lui. Tout cela ne peut qu'affecter négativement l'économie des États-Unis.

2. On peut s'attendre à des changements durables dans la nature de l'activité bancaire. Celle-ci connaît depuis 1972 une croissance continue, grâce au lancement de nouveaux produits financiers de plus en plus sophistiqués et à une réglementation de plus en plus laxiste. Je m'attends à l'inversion de cette tendance. Les autorités de régulation essaieront de reprendre le contrôle des

activités d'un secteur qu'elles sont censées surveiller. Jusqu'où iront-elles ? Tout dépendra de la gravité des dégâts. S'il faut recourir à l'argent des contribuables, le Congrès aura son mot à dire. Le secteur financier représentait 14 % de la capitalisation boursière américaine à la fin des années 1980, 15 % à la fin des années 1990, 23 % en 2006 ! Je m'attends à un pourcentage nettement moins élevé d'ici dix ans. Au 14 mars 2008, il était redescendu à 18,2 % [1].

3. Il n'y a pas de raisons, pour autant, de s'attendre à une période prolongée de resserrement du crédit ou de déclin économique dans le monde pris dans son ensemble, car certaines forces jouent en sens contraire. La Chine, l'Inde et certains pays producteurs de pétrole connaissent un dynamisme qui ne sera sans doute guère entamé par les crises financières ni par une récession américaine. Celle-ci sera d'ailleurs amortie par le déficit des paiements courants.

4. Les États-Unis, sous la présidence de Bush, ont échoué à exercer un véritable leadership politique. Il en est résulté un déclin précipité de leur puissance et de leur influence dans le monde. L'invasion de l'Irak est pour beaucoup dans la hausse des prix du pétrole et dans la réticence du reste du monde à détenir des dollars. Une récession aux États-Unis, couplée avec la

1. Factset Research Systems Inc. (base de données analytique). Le secteur financier inclut les grandes banques de détail, les banques régionales, les caisses d'épargne, les établissements de crédit-bail, les banques d'affaires, les gestionnaires d'investissement, les conglomérats financiers, les compagnies d'assurances, les trusts d'investissement immobilier.

résilience de la Chine, de l'Inde et des pays producteurs de pétrole, accentuera le déclin de la puissance et de l'influence américaines. Une part importante des réserves monétaires actuellement placées en obligations du gouvernement américain sera convertie en actifs réels. Le boom actuel des prix des produits de base s'en trouvera étendu et renforcé, ce qui créera des tensions inflationnistes. Le déclin du dollar comme monnaie de réserve universellement acceptée aura des conséquences politiques considérables, faisant même planer la menace d'un effondrement de l'ordre du monde qui prévaut actuellement. En somme, en attendant qu'un nouvel ordre émerge, nous allons sans doute vivre une période de grande incertitude et de destruction de richesses financières.

Ces considérations sont trop générales pour être d'une grande utilité pratique pour la prise de décision, mais la théorie elle-même, conjuguée avec les faits avérés, ne mène pas loin non plus. J'ai d'ailleurs exagéré un peu en m'avançant autant. Si l'on veut être plus précis, il faut se livrer à un travail de conjecture.

En ce début d'année, je trouve les marchés financiers trop préoccupés par la crise de liquidité et pas assez par ses conséquences à long terme. Les banques centrales savent fournir des liquidités et elles le feront, quel qu'en soit le prix. Elles ont déjà accru le niveau des montants injectés, et accepté une plus grande variété de garanties que jamais auparavant. L'acuité de la crise ne peut donc que s'atténuer, mais ses conséquences sont encore devant nous. Aussi bien les investisseurs que le public commettent une erreur d'analyse. Ils croient que les autorités financières — la Fed et le département du Trésor — feront n'importe quoi pour éviter une récession. Je pense qu'elles ne sont pas en mesure d'y parvenir, en partie à cause du boom des prix des produits de base et en partie à cause de la vulnérabilité du dollar (les deux phénomènes se renforçant mutuellement). L'appétence du reste du monde à détenir des dollars a été ébranlée. Il y a déjà trop de dollars en circulation, et leurs détenteurs cherchent ardemment à diversifier leurs avoirs. La principale monnaie de réserve alternative, l'euro, s'est trouvée propulsée à un niveau insoutenable, ce qui ne l'empêche pas d'être toujours l'objet de pressions à la hausse. Le fait que le yuan se soit moins apprécié que l'euro a créé de très vives tensions commerciales entre la Chine et l'Europe, tensions qui devront être résolues d'une façon ou d'une autre. Je crois que le yuan sera autorisé à s'apprécier davantage. L'écart de taux d'intérêt en sa faveur est déjà supérieur à 8 % par an, et je prévois que son appréciation sera plus forte encore, même si je suis incapable de dire de combien. Les intentions des autorités chinoises sont difficiles à déchiffrer, mais un certain nombre de raisons font qu'elles devraient aller dans ce sens. Plus grave est la menace protectionniste aux États-Unis, et maintenant en Europe. Une monnaie forte est de nature à tempérer les irritations que cause un important excédent commercial. Elle aide également à modérer la hausse des prix, qui est devenue un problème pour la Chine. L'inflation étant principalement alimentée par le coût des importations de carburant et de denrées alimentaires, l'appréciation de la monnaie est un antidote efficace. Dans le passé, le secteur agricole militait contre un yuan plus fort ; avec l'augmentation des prix des produits alimentaires, cette considération pèsera moins. Les choses évoluent donc dans le bon sens, mais un yuan en hausse est source de problèmes qui ne sont pas toujours bien perçus.

Le problème de la Chine est que le coût réel du capital y est déjà négatif. L'appréciation accélérée de la monnaie le fait d'ailleurs descendre encore plus au-dessous de zéro, créant une bulle d'actifs. Le processus est déjà à l'œuvre. L'immobilier est en plein essor, et l'indice de la Bourse de Shanghai, après quatre années de baisse, a progressé de 420 % depuis juillet 2005[1] et de 97 % en 2007. Pour des raisons que j'exposerai plus en détail, la bulle en est encore à un stade précoce, mais une crise financière risque d'être difficile à éviter à terme.

Le problème des États-Unis est qu'un yuan en hausse ferait monter les prix dans les supermarchés. Dans un contexte de récession, un peu d'inflation pourrait être une bonne chose, mais la Fed doit veiller à la stabilité de la monnaie. Je crois donc qu'elle continuera de baisser les taux d'intérêt à un rythme modéré — un quart de point à chaque réunion du comité de politique monétaire, comme jusqu'ici —, mais un moment viendra où les taux à long terme réagiront en montant au lieu de baisser. La Fed aura alors atteint les limites de sa capacité

---

1. Depuis le minimum enregistré à la clôture du 11 juillet 2005 jusqu'à la fin de 2007.

à stimuler l'économie. Encore une fois, je ne sais pas quand ce point sera atteint, mais je soupçonne qu'il le sera plus tôt qu'on ne le croit.

L'incertitude est grande quant à la probabilité d'une récession. La plupart des prévisionnistes l'évaluent encore à moins de 50 %. C'est quelque chose que j'ai du mal à comprendre. Les prix de l'immobilier, pour retrouver un rapport normal avec le revenu des ménages, devront chuter d'au moins 20 % au cours des cinq prochaines années. Mon modèle *boom-bust* me suggère que les prix, pour que le marché soit assaini, devront même tomber temporairement au-dessous du niveau « normal » — et les dernières statistiques montrent que nous sommes encore loin du compte. Or une baisse de cette ampleur ne peut qu'affecter la consommation, l'emploi, l'activité économique en général. Les exportations sont le seul facteur jouant en sens inverse, mais elles sont vouées à se réduire, du fait du ralentissement que connaît le reste du monde. La consommation a remarquablement tenu néanmoins, et les anticipations des propriétaires de logements pèchent par optimisme, 65 % d'entre eux s'attendant à ce que la valeur de leur bien augmente modérément. Toujours selon mon modèle *boom-bust*, il faudrait que les anticipations se mettent à pécher par pessimisme pour que l'économie reprenne un cours positif. Que les États-Unis soient entrés en récession se discute ; qu'ils s'apprêtent à y entrer d'ici à la fin 2008 est pour moi une certitude.

Les établissements financiers n'ont pas non plus achevé leur trajectoire descendante. Les résultats de fin d'exercice réserveront vraisemblablement des surprises désagréables, et une récession ne pourra qu'aggraver les choses. Les CDO adossés à l'immobilier commercial, notamment dans le secteur des galeries marchandes, risquent fort de dévisser. Les banques ont vendu des CDS pour redorer leurs bilans, et les défauts de paiement sont susceptibles de se multiplier à mesure que la récession s'accentuera. Les marchés ne seront pleinement rassurés que lorsque le passif caché aura été révélé en totalité. Les grandes banques d'investissement ont été très diligentes pour reconstituer leurs bilans en levant des capitaux, pour l'essentiel auprès de fonds souverains, lesquels sont en train d'apparaître comme la planche de salut du secteur bancaire — mais ils pourraient se trouver vite rassasiés. Une fois de plus, les risques seraient transférés à ceux qui en sont le moins conscients, et les prix payés par les premiers investisseurs pourraient se révéler rétrospectivement trop élevés.

L'Europe risque d'être affectée presque aussi négativement que les États-Unis. L'Espagne, à cause de sa propre bulle immobilière, et le Royaume-Uni, à cause de l'importance de la place financière de Londres, sont les plus vulnérables. Les banques et fonds de pension européens sont encore plus lourdement lestés d'actifs douteux que les banques américaines, tandis que la surévaluation de l'euro et de la livre handicapera les économies européennes. L'économie japonaise est également mal en point. Bien que les pays développés, pris tous ensemble, représentent 70 % de l'économie mondiale, il n'est pas certain que l'économie mondiale entrera en récession, du fait des dynamiques très favorables que l'on observe dans les pays riches en pétrole et dans certains pays en développement. Un vieil adage dit que, lorsque les États-Unis toussent, le monde s'enrhume. C'était vrai, ce ne l'est plus.

La Chine subit une transformation structurelle radicale, que favorise la bulle d'actifs engendrée par des taux d'intérêt réels négatifs. Les entreprises d'État sont en train d'être privatisées, et leurs cadres se retrouvent généralement avec des parts importantes. Les bons gestionnaires, qui avaient tendance à rechercher leur intérêt personnel, trouvent maintenant avantage à rechercher celui des sociétés qu'ils gèrent et, de plus en plus souvent, possèdent. Les actions cotées à la Bourse de Shanghai pourraient paraître surévaluées selon des critères conventionnels (plus de quarante fois les bénéfices de l'année prochaine), mais les apparences sont parfois trompeuses, d'autant que la motivation des dirigeants évolue. Il ne fait guère de doute qu'une bulle est en train de se former, mais elle en est à un stade relativement précoce, et de puissants intérêts sont à l'œuvre pour la soutenir. Les élites économiques sont avides de convertir les avantages en nature dont elles se contentent actuellementen patrimoine transmissible à leurs héritiers. La liste est longue des sociétés que leurs dirigeants ont hâte de libérer de la tutelle étatique, et ils ne veulent pas que le processus s'interrompe. Rien ne rapporte autant que d'investir dans une bulle qui en est à ses débuts.

J'ai visité la Chine en octobre 2005, et même si, à

l'époque, je ne m'occupais plus activement d'investissement, j'y ai décelé des perspectives plus grandes qu'à aucun moment de ma carrière. L'économie chinoise avait connu une croissance de plus de 10 % par an pendant les dix années précédentes, mais les bénéfices des sociétés ne suivaient pas le même rythme, et le marché, après l'euphorie initiale qui caractérise les Bourses récemment créées, avait connu quatre ans de baisse. Le gouvernement venait d'annoncer un plan aux termes duquel toutes les parts détenues par l'État deviendraient négociables dans les deux ans. J'y ai vu une chance historique, mais je n'étais pas préparé à m'occuper de nouveau activement de mon fonds, et je ne disposais pas, sur place, du partenaire qu'il fallait. Mon fonds avait certes placé un peu d'argent en Chine, mais, comme toujours en pareil cas, pas assez. L'indice de la Bourse de Shanghai a progressé de plus de 400 % depuis.

La Chine exerce sur les autres économies émergentes une influence considérable. Elle a montré un insatiable appétit de matières premières, et a été le principal moteur de la croissance dans les secteurs des produits de base et du transport maritime de marchandises. Malgré le ralentissement attendu de l'économie mondiale, le prix du minerai de fer, dont la Chine est le principal acheteur, devrait monter de 30 % l'an prochain. Le pays s'est engagé dans une politique effrénée de rachat de sociétés d'exploitation minière et pétrolière. Il est également disposé à consentir aux pays africains des crédits à long terme à des taux préférentiels, et rivalise désormais avec l'Occident pour les investissements en

Afrique. Il est en outre devenu le premier partenaire commercial de nombreux pays asiatiques. (Ainsi que le premier émetteur mondial de gaz à effet de serre, mais c'est une autre affaire.)

Il est manifeste que la récession dans le monde développé pèsera sur les exportations chinoises, mais la demande intérieure, les investissements dans les pays en développement et le développement du commerce avec ces derniers pourraient compenser en grande partie le phénomène. Le taux de croissance fléchira donc, tandis que la bulle, alimentée par des taux d'intérêt réels négatifs, continuera de gonfler. L'indice de la Bourse de Shanghai ne progressera certainement pas au même rythme que l'an dernier, et il se pourrait même qu'il ne progresse pas du tout, mais le volume des nouvelles émissions et celui des transactions continueront leur marche en avant. La transformation structurelle de l'économie s'accentuera. Les entreprises d'État déficitaires disparaîtront plus ou moins, et ce que j'appelle les « super-entreprises d'État » — filiales bien gérées justifiant le cours élevé de leurs actions par l'absorption d'actifs supplémentaires de leur société-mère — deviendront des acteurs dominants du marché. Le processus ressemblera à ce que, dans le chapitre de *L'Alchimie de la finance* intitulé « L'oligopolisation de l'Amérique », j'ai appelé la « fusionnite », mais en plus spectaculaire encore. Il est possible qu'il se termine mal, il est possible aussi que ce ne soit pas le cas, mais il devrait, en tout état de cause, durer encore quelques années. En somme, mon opinion est que la Chine traversera sans trop d'encombres la crise financière actuelle et la récession qui s'ensuivra, et aura acquis au passage une puissance relative considérable.

Les perspectives à plus long terme sont, en revanche, relativement incertaines. Il n'y aurait rien d'étonnant à ce que la bulle qui se développe actuellement en Chine débouche dans plusieurs années sur une crise financière. J'ai dit il y a longtemps que c'est probablement de cette façon que périrait le communisme chinois, mais la transformation de la Chine en économie capitaliste peut tout aussi bien s'accomplir sans crise financière. En tout état de cause, la Chine contestera sans doute la suprématie des États-Unis bien plus tôt que l'on n'aurait pu s'y attendre lorsque George W. Bush a été élu président en 2000. Quelle ironie de l'histoire pour le projet de « Nouveau Siècle Américain » ! Dessiner un nouvel ordre mondial où une Chine en plein essor ait sa place sera l'une des tâches les plus stimulantes qui incomberont au prochain président des États-Unis.

Je me suis rendu en Inde à Noël 2006, et j'ai été, d'un point de vue d'investisseur, encore plus favorablement impressionné, car ce pays est une démocratie et un État de droit, où il est en outre plus facile d'investir, techniquement parlant, qu'en Chine. Depuis ma visite, les moyennes de marché ont fait plus que doubler. L'Inde avait un taux de croissance de 3,5 % par an, à peine supérieur à celui de la population ; il est maintenant deux fois plus élevé. Les fondements des réformes économiques ont été posés il y a plus de dix ans par l'actuel Premier ministre, Manmohan Singh, alors ministre des Finances, et il a fallu quelque temps pour que la dynamique économique évolue. La délocalisation des technologies de l'information a servi de catalyseur. Leur croissance a été phénoménale. L'an dernier, plus de la moitié des emplois créés dans le monde entier dans ce secteur l'ont été en Inde, mais ils représentent, même aujourd'hui, à peine 1 % du total des emplois du pays, et le secteur a dépassé son pic de rentabilité. Il y a en effet une pénurie de main-d'œuvre qualifiée, et les marges bénéficiaires sont entamées par l'appréciation de la monnaie. Mais la dynamique s'est étendue au reste de l'économie.

Le phénomène le plus spectaculaire a été l'ascension des frères Ambani. Lorsque leur père, fondateur de Reliance Industries, est mort, ses deux fils se sont partagé son empire et sont maintenant devenus rivaux. Leurs activités vont du raffinage, de la pétrochimie et de la production de gaz naturel offshore jusqu'aux services financiers et à la téléphonie mobile. La découverte de réserves de gaz naturel offshore offre la perspective que l'Inde soit autosuffisante en énergie d'ici quelques années. Mukesh Ambani est en train d'utiliser les bénéfices dégagés par ses activités pétrolières et gazières pour développer Reliance Retail, chaîne de distribution amenant la nourriture directement du producteur au consommateur — un projet audacieux visant à réduire de plus de moitié la différence entre le prix perçu par le premier et celui payé par le second.

Les infrastructures de l'Inde sont très inférieures à celles de la Chine, mais le rattrapage est rapide, grâce à l'épargne des ménages et aux transferts financiers en provenance des émirats du Golfe, où travaillent beaucoup d'Indiens expatriés. Je m'attends, dans ces conditions, à une croissance soutenue de l'économie indienne, même si la Bourse apparaît, après des performances brillantes, vulnérable à une correction.

Un autre facteur de force de l'économie mondiale réside dans certains pays du Moyen-Orient producteurs de pétrole (je n'évoquerai pas la Russie, n'ayant pas l'intention d'y investir). Le rythme auquel ces États accumulent des réserves est impressionnant : 122 milliards de dollars en 2006, 114 milliards de dollars en 2007 selon les estimations, le total cumulé étant de 545 milliards de dollars à ce jour[1]. Impatients de diversifier leurs avoirs par rapport aux obligations libellées en dollars, tous ont créé des fonds souverains dont les actifs sont en croissance rapide. Les pays du Golfe ont décidé, forts de leur accès à une énergie bon marché, d'investir aussi dans le développement de leurs propres économies, en construisant des raffineries, des complexes pétrochimiques, des fonderies d'aluminium, et d'autres usines d'industrie lourde, à un rythme qui n'est limité que par le manque de main-d'œuvre et d'équipement. Ils sont sans doute appelés à devenir, compte tenu de leur avantage comparatif, des atouts industriels maîtres. L'émirat d'Abu Dhabi a par ailleurs entrepris de bâtir une métropole destinée à rivaliser avec Dubai ; avec plus de 1 000 milliards de dollars

---

1. Données du FMI, octobre 2007. Les pays concernés sont l'Arabie saoudite, Bahreïn, les Émirats arabes unis, l'Irak, l'Iran, le Koweït, la Libye, Oman et le Qatar. Pour l'Arabie saoudite, les chiffres incluent les investissements en titres étrangers, non comptabilisés dans les statistiques officielles du royaume.

de réserves et une population de 1,6 million d'habitants seulement (dont 80 % de travailleurs immigrés), il peut se le permettre. Ce développement à marche forcée a créé des tensions inflationnistes, qui plaident pour le désarrimage des monnaies par rapport au dollar. Le Koweït y a déjà procédé, mais d'autres États, en particulier l'Arabie saoudite, ont été dissuadés de suivre son exemple par de fortes pressions politiques de Washington. La parité fixe avec le dollar, conjuguée à l'inflation intérieure, a rendu négatifs les taux d'intérêt réels. Les Bourses des pays du Golfe sont en train de se remettre du krach qui avait suivi l'euphorie des débuts, et les taux d'intérêt négatifs attirent, comme en Chine, les capitaux étrangers. C'est l'effet pervers de l'indexation sur le dollar, même si, sauf dans le cas du Koweït, cette indexation n'est pas glissante. Je crois la dynamique assez forte — malgré le risque politique que constitue l'Iran — pour résister à un ralentissement mondial. Tout abaissement des taux d'intérêt aux États-Unis raviverait les pressions pour mettre fin aux parités fixes.

Les fonds souverains sont en train de devenir des acteurs majeurs du système financier international. Leur montant total est estimé à 2 500 milliards de dollars environ, et connaît une croissance rapide. Ils ont déjà investi 28,65 milliards de dollars dans des établissements financiers mal en point[1]. La Chine a consacré 5 milliards

1. 13 juillet 2007, Temasek Holdings, 2 milliards de dollars dans Barclays PLC ; 26 novembre 2007, Abu Dhabi Investment Authority, 7,5 milliards de dollars dans Citigroup Inc. ; 10 décembre 2007, Government of Singapore Investment Corp., 9,75 milliards de dollars dans UBS AG ; 19 décembre 2007, China

de dollars à des investissements en Afrique. Les fonds souverains vont sans doute émerger comme prêteurs et investisseurs en dernier ressort, rôle similaire à celui que le Japon a cherché à jouer après le krach boursier de 1987. Mais ils sont plus divers que ne l'étaient les institutions financières japonaises, et suivront probablement d'autres voies. Sans doute la crise financière leur permettra-t-elle d'être mieux accueillis en Occident qu'ils ne l'auraient été sinon. Il ne faut pas oublier que, lorsque China National Offshore Oil Corporation (CNOOC), compagnie pétrolière propriété de l'État chinois, a voulu racheter Unocal, cela a provoqué de fortes tensions politiques, tout comme lorsqu'une société de Dubai, DP World, a tenté de prendre le contrôle d'infrastructures portuaires américaines. Pour autant qu'il soit possible de généraliser, les fonds souverains préféreront probablement investir dans les pays en développement, et la seule limite qu'ils rencontreront sera la capacité d'absorption de ces pays. Tout cela est de nature à améliorer les performances des économies en développement, mais les fonds souverains deviendront sans doute aussi des acteurs importants de l'économie américaine, à moins qu'ils n'en soient empêchés par des mesures protectionnistes.

Que le ralentissement de l'économie mondiale tourne à la récession ou non, la question reste ouverte. On peut néanmoins prédire sans grand risque de se tromper que

Investment Corp., 5 milliards de dollars dans Morgan Stanley ; 24 décembre 2007, Temasek Holdkings, au moins 4,4 milliards de dollars dans Merrill Lynch.

les performances des pays en développement seront bien meilleures que celles des pays développés. Mais cela pourrait ne plus être le cas si, au bout d'un certain temps, il apparaissait que les investissements dans la production de matières premières ont créé des surcapacités.

En 2007, être acheteur sur les marchés émergents et vendeur sur ceux des pays développés a été une stratégie gagnante. Je m'attends à ce qu'il en soit de même en 2008, mais en précisant « acheteur net » et « vendeur net » — ce qui est plus qu'une nuance. Étant donné que mon fonds a perdu de son caractère spéculatif et que je joue désormais un rôle moins actif dans sa gestion, il serait inapproprié de dresser un compte rendu détaillé de l'évolution de ses positions comme je l'avais fait dans *L'Alchimie de la finance*. Je résumerai simplement d'une phrase ma stratégie d'investissement pour 2008 : positions courtes sur les actions européennes et américaines, les obligations à dix ans du gouvernement américain et le dollar ; positions longues sur les actions chinoises, indiennes et des pays du Golfe, ainsi que sur les monnaies autres que le dollar.

6 janvier 2008

L'expérience en temps réel commence mieux que je ne m'y attendais. Nous gagnons de l'argent à la fois sur nos positions longues et courtes, ainsi que sur les monnaies. Seule notre position courte sur les obligations à dix ans du gouvernement américain travaille contre nous, mais c'était prévu : obligations et actions tendent à évoluer dans des directions opposées. J'ai pris cette position en étant conscient qu'elle est peut-être prématurée, mais je crois qu'avec la baisse du dollar elle se révélera finalement judicieuse, et qu'elle aura réduit au passage la volatilité du portefeuille. Étant donné que nous sommes désormais un *endowment fund* et non plus un fonds purement spéculatif, notre exposition est relativement modeste : nous avons placé moins de la moitié de nos fonds propres dans chacune des deux directions. Reste que nous avons gagné plus de 3 % en trois jours ouvrables.

J'ai commencé à réfléchir au meilleur moment pour couvrir mes positions courtes. Ce n'est sûrement pas maintenant. Le marché commence seulement à admettre qu'une récession se profile ; il faut qu'il tombe au-dessous de ses creux de 2007. Pour les six mois à venir, les surprises seront sans doute mauvaises, et je n'attends pas de l'actuel gouvernement qu'il soit capable de prendre des mesures de nature à améliorer notablement la situation. Il se peut, cela dit, que le marché descende d'ici six mois à un niveau d'où il ne puisse que remonter — je n'ai jamais été très doué pour prévoir ce genre de choses.

10 mars 2008

J'ai vu globalement juste dans mes prévisions pour 2008, avec toutefois quelques écarts mineurs qui ont eu un impact majeur, tant sur le cours des événements que sur la performance de nos investissements.

— Les perturbations du système ont été plus violentes que je ne m'y attendais. Des marchés dont j'ignorais jusqu'à l'existence — comme celui des *auction-rated municipal bonds*[1] — se sont effondrés. Les primes de risque ont continué à s'amplifier, et les pertes à s'accroître. Les banques et les courtiers viennent de relever le niveau des dépôts de garantie, et les fonds spéculatifs à effet de levier sont obligés de réduire celui-ci. Certains sont même en liquidation. Mais nous ne sommes pas au bout de nos peines ; l'effondrement du gigantesque marché des CDS est encore à venir. Les abandons de créances vont sans doute connaître un pic au premier trimestre 2008. Il pourra y avoir d'autres pertes les trimestres suivants, mais pas de même ampleur.

— Les marchés des produits de base se sont mieux comportés que je ne l'escomptais. La hausse des prix du minerai de fer a été de 60 % et non de 30 %. L'or approche des 1 000 dollars l'once.

— La Fed a changé son fusil d'épaule plus brusquement que je ne m'y attendais. Elle a baissé le taux des fonds fédéraux de trois quarts de point, ce qui est sans précédent, lors d'une réunion d'urgence le 22 janvier, et d'un autre quart de point lors de sa réunion ordinaire du 30 janvier.

— Malgré son revirement spectaculaire, la Fed n'a pas

1. Obligations émises par les collectivités locales américaines, et dont les taux d'intérêt, variables, sont déterminés à intervalles réguliers par un système d'enchères (*N.d.T.*).

réussi à faire baisser les taux hypothécaires, mais pour une autre raison que celle que j'avais anticipée. C'est le niveau atteint par les primes de risque qui tire les taux vers le haut, non le fait que la courbe de rentabilité soit plus abrupte. Le rendement des obligations fédérales à dix ans a beaucoup baissé, et notre position courte nous a coûté très cher.

— Le marché indien a enregistré une forte baisse. Comme nous n'avions pas réussi à réduire nos positions longues, nous l'avons prise en pleine figure. Les pertes sur les marchés indiens et chinois (même si la Chine nous a fait moins mal) absorbent la quasi-totalité des gains du macro-compte. Le résultat est que nous sommes tout juste bénéficiaires sur les deux premiers mois de l'année.

Comme nous avons renforcé nos positions courtes sur le dollar ainsi que sur les actions financières et indices boursiers tant américains qu'européens, et légèrement réduit nos positions courtes sur les obligations fédérales, je crois que nous abordons dans de bonnes conditions la période qui vient. Je m'attends à une réédition du creux de janvier, avec de nouveaux records à la baisse pour les actions du secteur financier, mais le marché plutôt au-dessus dans l'ensemble. Il est possible que cela débouche sur une reprise, mais je prévois des minima encore plus bas dans les mois à venir.

J'ai recruté un nouveau responsable des investissements ; cela me permettra de prendre plus de recul par rapport aux marchés. Nous avons l'intention de couvrir une partie ou même l'essentiel de nos positions courtes dans le secteur financier, de prendre éventuellement des positions longues sur quelques actions qu'un dollar en baisse pourrait faire monter, et d'être ensuite de nouveau en position courte au moment de la reprise. Mon nouveau collaborateur connaît bien les marchés obligataires. Il est en train d'acheter des indices hypothécaires parmi les mieux notés et veut renforcer nos positions courtes sur les obligations fédérales à long terme, au moment qui sera le plus propice.

16 mars 2008

La semaine a été spectaculaire. Les *hedge funds* continuent de réduire leur effet de levier, certains sont même en liquidation forcée, ce qui crée une pression à la baisse sur les titres et à la hausse sur les primes de risque.Le dollar bat des records à la baisse, tant vis-à-vis de l'euro qui cote 1,55 dollar que du yen qui passe au-dessous de la barre des 100 pour un dollar. Les tensions sur les marchés des changes s'intensifient. Aussi bien la monnaie chinoise que les devises du Golfe viennent buter contre leurs parités. Jeudi, Bear Stearns est devenu une contrepartie sujette à caution, ce qui a obligé la Fed à venir à sa rescousse vendredi en lui ouvrant une facilité de crédit par l'intermédiaire de JP Morgan. La panique est perceptible. Nous avons continué d'accroître nos positions courtes sur le dollar, mais nous avons aussi décidé d'aller à l'encontre de la baisse du marché des actions et de la hausse continue des obligations fédérales. Nous avons également, vendredi, acheté des actions de Bear Stearns et vendu quelques-uns de ses CDS (notre première incursion sur ce marché), nous attendant à ce que Bear Stearns soit mis en adjudication par la Fed au cours du week-end. C'est un pari à court terme, et un pari limité : s'il n'est pas payant dès lundi, nous n'insisterons pas. Pour l'instant, les résultats font du surplace, avec le macro-compte qui gagne de l'argent et le reste du fonds qui en perd. Seule consolation, le portefeuille est nettement moins volatil que les marchés dans leur ensemble. Mais nous préférerions afficher un bénéfice.

20 mars 2008

Encore une semaine riche en péripéties. Bear Stearns n'a pas été mis en adjudication, mais bel et bien livré à JP Morgan, au prix de 2 dollars l'action. Nous avions à moitié raison : nous avons gagné de l'argent sur les CDS, mais perdu sur les actions — et pas qu'un peu. Les actionnaires de Bear Stearns hurlent, mais ce sera sans doute en pure perte. Nous avions négligé le fait que Bear n'est pas aimé par l'establishment, et que la Fed saisirait la première occasion de trancher la question de l'aléa moral en punissant les actionnaires.

Les marchés ont été choqués par le comportement de la Fed, et les ventes ont battu tous les records lundi. Nous en avons profité pour couvrir les positions courtes qui nous restaient sur les actions financières, et avons laissé presque inchangée, mardi, notre exposition sur les actions, en faisant le pari que Lehman Brothers saurait résister à l'assaut dont il est l'objet depuis lundi. Nous avions vu juste, et après une nouvelle baisse de 75 points de base du taux de la Fed, les actions ont connu la plus forte reprise de l'année. Elle était partie pour durer au moins quelques semaines, mais, contre toute attente, le marché s'est retourné dès mercredi. Dans toutes les séquences *boom-bust*, on croit que les règles normales n'ont pas cours, mais en général elles ont cours quand même. Cette fois, les choses se passent vraiment différemment, ce qui corrobore ma thèse selon laquelle cette crise n'est pas comme les autres. Pour couronner le tout, le dollar a connu une nette reprise mardi matin, causant quelques dégâts au macro-compte. Nous sommes maintenant déficitaires sur l'exercice courant. J'attribue cette reprise du dollar à la liquidation, en partie forcée, en partie technique, de positions spéculatives. Mon intention est de maintenir les miennes, mais je m'attends à subir d'autres pertes. L'un des avantages d'un effet de levier faible, c'est que l'on peut se le permettre.

Ici s'achève cette expérience en temps réel, car le manuscrit doit partir chez l'éditeur. J'aurais préféré conclure sur un bénéfice pour le fonds dans son ensemble et pas seulement pour le macro-compte, mais peut-être un déficit cadre-t-il mieux avec le propos de ce livre. Nous sommes en période de réduction forcée de l'effet de levier et de destruction de richesses financières. Il est difficile d'y échapper.

8

Quelles réponses à la crise ?

Il serait prématuré, pour différentes raisons, d'émettre des recommandations catégoriques quant à la politique à mener. Tout d'abord, je suis trop impliqué dans la vie financière pour accorder au sujet la considération qu'il mérite. Le drame qui se déroule actuellement absorbe toute mon attention, et je joue gros. Il me faudrait prendre davantage de recul vis-à-vis du marché pour être en mesure de réfléchir de façon plus détachée. Deuxièmement, il y a peu à espérer de l'actuel gouvernement américain. Pour de nouvelles initiatives d'envergure, il faudra attendre l'élection du nouveau président, et seul un président démocrate pourrait adopter une autre attitude et donner à la nation une nouvelle direction. Troisièmement, la situation est plus que sérieuse, et les nouvelles initiatives politiques doivent être discutées de façon approfondie. Je présenterai donc l'état actuel de mes réflexions comme étant plutôt une contribution au débat qu'une conclusion définitive.

Il est évident que l'économie est en train d'être saccagée par une financiarisation déraisonnable et incontrôlée, et que le secteur de la finance doit être repris en main. L'octroi de crédit est un processus réflexif par nature, qu'il faut réguler pour en prévenir les excès. Nous devons cependant garder à l'esprit que les régulateurs ne sont pas seulement des êtres humains, mais aussi des bureaucrates, et qu'une régulation excessive peut entraver l'activité économique. Un retour aux règles en vigueur au lendemain de la Seconde Guerre mondiale serait une grave erreur. La disponibilité du crédit stimule non seulement la productivité mais aussi la flexibilité et l'innovation. Le monde est plein d'incertitudes, et les marchés s'adaptent bien mieux que les bureaucrates à des circonstances changeantes. Mais il faut aussi reconnaître que les marchés ne font pas que s'adapter passivement à ces circonstances changeantes : ils contribuent activement à façonner le cours des événements. Ils peuvent même être à l'origine des incertitudes et de l'instabilité qui rendent si précieuse leur propre flexibilité. C'est de tous ces éléments à la fois qu'il faut tenir compte lorsque l'on définit une politique macroéconomique. En résumé, les marchés doivent disposer de la plus grande latitude d'action compatible avec la stabilité économique.

Les excès des marchés financiers sont dus dans une large mesure au fait que les autorités de régulation n'ont pas su exercer vraiment leur contrôle. Certains des instruments ou méthodes de financement introduits récemment étaient fondés sur des prémisses erronées ; ils se sont révélés non viables et doivent donc être abandonnés. Mais d'autres sont utiles pour mieux répartir les risques ou mieux nous en protéger, et doivent donc être préservés. Il faut que les régulateurs fassent l'effort de se doter d'une meilleure compréhension des innovations récentes, et n'autorisent pas les pratiques qu'ils ne comprennent pas totalement. L'idée que la gestion du risque puisse être laissée aux mains des acteurs eux-mêmes est une aberration. Il existe en effet des risques systémiques qu'il appartient aux autorités de régulation de gérer, et elles doivent disposer, pour ce faire, de l'information adéquate. Les acteurs, y compris les *hedge funds*, les fonds souverains et les autres entités non régulées, doivent la leur fournir, quoi qu'il leur en coûte en argent et en confort. Ce coût est insignifiant en regard de celui d'un effondrement du système.

L'aléa moral pose un problème épineux, mais qui peut être résolu. Disons les choses clairement : lorsque le système financier est en danger, les autorités doivent lâcher du lest. Quant aux établissements de crédit, ils doivent, que cela leur plaise ou non, assumer le fait d'être sous la protection des autorités, et accepter d'en payer le prix. Cela veut dire que le contrôle doit être plus vigilant, notamment dans les phases expansionnistes. La rentabilité du secteur s'en trouvera probablement amoindrie ; cela ne fera pas plaisir à ceux qui en vivent, et ils ne manqueront pas de le faire activement savoir, mais il faut que l'octroi de crédit reste une activité régulée. Les régulateurs devraient même être tenus pour responsables s'ils laissent les choses déraper au point qu'il leur faille intervenir pour assurer le sauvetage d'un établissement. Or, dans les années récentes, les choses ont bel et bien dérapé. La taille comme la rentabilité du secteur sont devenues excessives.

La principale leçon à retenir de la crise actuelle est que les autorités monétaires doivent contrôler, outre l'offre de monnaie, l'offre de crédit. Le monétarisme est une doctrine erronée. Monnaie et crédit ne sont pas synonymes. Les autorités monétaires doivent non seulement se préoccuper de l'inflation des salaires mais aussi éviter la constitution de bulles d'actifs. Les prix des actifs, en effet, dépendent à la fois de la quantité d'argent disponible et de la propension à prêter. Aussi les autorités monétaires doivent-elles surveiller non seulement l'offre de monnaie mais aussi les conditions d'octroi de crédit. On m'objectera que leur demander de contrôler les prix des actifs serait aller trop loin. L'objection serait recevable si la mission des autorités monétaires consistait seulement à appliquer mécaniquement un certain nombre de règles. Mais leur tâche est autrement plus complexe. Elles doivent se livrer à un exercice délicat de gestion des anticipations, en recourant à tous les procédés sur lesquels repose la fonction manipulatrice. C'est tout un art, qui ne saurait être réduit à une science. Alan Greenspan y était passé maître, même s'il a malheureusement mis ses talents au service d'une mauvaise cause : celle du fondamentalisme de marché.

Aussi bien la bulle immobilière que la super-bulle se caractérisaient par un recours excessif à l'effet de levier. Celui-ci a été légitimé par des modèles sophistiqués de gestion du risque, qui tenaient compte des risques connus mais ignoraient les incertitudes inhérentes à la réflexivité. Si les régulateurs devaient ne faire qu'une seule chose, ce serait de restaurer le contrôle qu'ils exerçaient autrefois sur le recours à l'effet de levier. Les fonds propres restent certes soumis à des normes prudentielles, mais celles-ci ont largement perdu de leur portée, tant il y a de façons de les contourner. Si les titres hypothécaires et autres produits dérivés n'ont jamais fait l'objet de réglementations dignes de ce nom, c'est parce qu'ils ont été créés sous l'empire du fondamentalisme de marché. Contrôler l'effet de levier aura sans doute pour effet de réduire la taille comme la rentabilité du secteur financier, mais l'intérêt public l'exige.

Une mesure susceptible de soulager le mal consisterait à créer une chambre de compensation des CDS. L'encours actuel de ces contrats est de quelque 45 000 milliards de dollars, et leurs détenteurs ignorent si leurs contreparties disposent elles-mêmes de protections suffisantes. En cas de défauts de paiement nombreux, il est probable que certaines de ces contreparties seront incapables de remplir leurs obligations. Cette menace, suspendue au-dessus du marché comme une épée de Damoclès, a sans doute joué un rôle dans la décision de la Fed de ne pas laisser Bear Stearns faire faillite. Il y aurait donc beaucoup d'avantages à créer une chambre de compensation ou d'échange, avec une structure capitalistique saine et des normes prudentielles strictes pour tous les contrats actuels et futurs.

Que faire pour remédier au désordre créé par l'éclatement de la bulle immobilière ? Les mesures contracycliques classiques de politique budgétaire et monétaire sont naturellement les bienvenues, mais elles ont leurs limites, et celles-ci, pour les raisons que j'ai exposées, seront vite atteintes. Il sera nécessaire de prendre des dispositions supplémentaires pour endiguer l'effondrement des prix de l'immobilier et réparer les dégâts causés. La priorité est d'aider le plus grand nombre de personnes à conserver leurs logements. Cela vaut aussi bien pour les détenteurs de *subprimes* que pour les débiteurs dont les hypothèques excèdent la valeur de leur bien. Les uns comme les autres peuvent être considérés comme des victimes de la bulle immobilière, et méritent à ce titre qu'on les aide. Mais ce n'est pas si simple, car ce qui fait la valeur d'une hypothèque, c'est qu'elle peut être matérialisée par voie de saisie. Dans la plupart des autres pays, l'emprunteur est personnellement responsable sur la totalité de ses biens, mais aux États-Unis le créancier n'a généralement d'autre recours que la saisie. Par ailleurs, les saisies font baisser le prix des maisons et précipitent donc l'effondrement du marché. Elles sont en outre coûteuses pour toutes les parties concernées, et ont des retombées négatives sur l'économie. Que faire qui tienne compte de tous ces aspects ? C'est un sujet sur lequel, pour l'instant, j'ai réfléchi plus en détail que sur les autres, et sur lequel ma fondation, l'Open Society Institute, travaille également. Mes conclusions, à ce stade, sont les suivantes.

Environ 40 % des 7 millions d'hypothèques *subprime* en cours vont se trouver en défaut de paiement dans les deux ans à venir. Les défauts de paiement sur les hypothèques à taux variable optionnel et autres hypothèques à taux révisable seront d'une amplitude du même ordre, mais sur une période plus longue. La pression à la baisse sur les prix des maisons s'en trouvera maintenue. Les prix risquent fort de tomber au-dessous de la tendance à long terme, sauf intervention des pouvoirs publics.

La souffrance humaine causée par la crise immobilière sera immense. Il a été prouvé que les personnes âgées ont été la cible privilégiée de certaines des pratiques les plus prédatrices, et qu'elles ont un taux de défaut de paiement disproportionné, de même que les personnes de couleur. L'accession à la propriété du logement étant, aux États-Unis, un facteur clé de l'ascension sociale et de l'égalité des chances, les jeunes travailleurs de couleur en pleine ascension sociale seront particulièrement touchés. Ils ont cru à la promesse d'une « société de propriétaires », et ont concentré leurs actifs dans la propriété de leur logement. Le comté de Prince George, dans le Maryland, en est un exemple éclatant. C'est l'un des plus prospères parmi les comtés à forte population noire des États-Unis, et malgré cela il enregistre le plus grand nombre de saisies du Maryland. Les données disponibles pour le Maryland font apparaître que 54 % des accédants « africains-américains » ont souscrit des *subprimes*, contre 47 % pour les accédants « hispaniques » et 18 % pour les accédants « blancs ».

Les saisies font baisser les prix des maisons du voisinage, ce qui force d'autres propriétaires à vendre leur bien, dès lors que sa valeur devient inférieure au montant de l'hypothèque. Surtout, la concentration géographique des saisies déstabilise des quartiers entiers et a des répercussions négatives dans d'autres domaines, comme l'emploi, l'éducation, la santé, le bien-être des enfants. Éviter les saisies devrait être le but premier de l'action des pouvoirs publics. Les initiatives prises à ce jour par l'administration Bush ne sont que des opérations de communication : l'application des mesures annoncées est si restrictive que la protection est en réalité presque nulle.

Il faut conjuguer approche systémique et approche individuelle. Sous la première rubrique, ce que propose Barney Frank, de la Chambre des représentants, va dans le bon sens, même si je crois que, pour tenter de s'assurer un soutien bipartisan, il ne va pas assez loin. Il a formulé deux propositions qui visent à concilier la protection du droit de saisie et l'incitation à y renoncer — si elles sont adoptées dans l'ordre suggéré par leur auteur. Il s'agit, en premier lieu, de modifier la loi sur les faillites de façon à permettre au juge des faillites de réécrire les termes d'un prêt hypothécaire sur une résidence principale. Le prêteur serait ainsi fortement incité à modifier volontairement les termes du contrat plutôt que de voir le juge le lui imposer, voire réduire d'autorité le montant de la dette. Les républicains objectent que cela constituerait une atteinte aux droits du créancier, et que cela rendrait en outre les hypothèques plus coûteuses à l'avenir. Le dispositif ne s'appliquerait toutefois qu'aux hypothèques prises entre janvier 2005 et juin 2007. En outre, la loi sur les faillites permet déjà, dans son état actuel, de modifier les termes d'une hypothèque sur une résidence secondaire, sans que le coût en soit notablement affecté.

Barney Frank propose en second lieu d'habiliter la Federal Housing Administration (FHA) à apporter sa garantie au refinancement d'hypothèques *subprime*. Les détenteurs du titre initial seraient remboursés au moyen d'un nouveau prêt, à hauteur de 85 % au moins de la valeur estimée du bien, sur lequel la FHA, en contrepartie de sa garantie, prendrait une hypothèque de deuxième rang. Le jour où l'emprunteur voudrait vendre sa maison ou refinancer son prêt, il aurait à acquitter un droit de sortie égal à 3 % du montant du prêt initial restant à rembourser, éventuellement remplacé, pendant les cinq premières années, par un pourcentage dégressif de la plus-value estimée.

Le recours au volontariat est à la fois la force et la faiblesse de ce dispositif. Il a l'avantage de ne pas méconnaître le droit de saisie. Il a l'inconvénient de ne s'appliquer qu'à une catégorie réduite d'emprunteurs en difficulté : ceux dont les revenus sont au moins égaux à deux fois et demie leurs annuités. Quant au créancier, sera-t-il prêt à se contenter, pour solde de tout compte, de 85 % de la valeur vénale du bien, sans aucune prime en cas de revalorisation ultérieure de celle-ci ? Il est peu probable qu'un tel dispositif ait beaucoup d'effet sur la crise immobilière — à moins qu'il ne soit substantiellement étendu. La modification de la loi sur les faillites aurait une plus grande portée, mais le gouvernement s'y oppose.

Selon les professionnels du crédit hypothécaire, plusieurs obstacles juridiques et pratiques empêchent les sociétés de gestion de modifier les *subprimes* en défaut de paiement. Ils font notamment valoir que la titrisation des hypothèques affaiblit la « traçabilité » des crédits individuels et que les accords passés entre organismes pour la restructuration des titres limitent fortement leur latitude d'action en la matière. Le principal obstacle est cependant ce que l'on a appelé la « guerre de tranches ». Ce jeu de mots recouvre le fait qu'il peut y avoir divergence d'intérêts entre les différentes tranches d'un produit donné — l'une ayant, par exemple, un droit prioritaire sur le principal, l'autre sur les intérêts. Les sociétés de gestion sont plus que réticentes à modifier les termes des prêts, car elles savent que telle tranche en sera davantage affectée que telle autre, alors qu'elles-mêmes sont comptables vis-à-vis de toutes les tranches considérées solidairement.

Il existe un consensus croissant, en revanche, sur le fait que les accords passés entre organismes pour la restructuration des titres permettent une plus grande flexibilité que l'on ne voulait bien le dire auparavant. Moody's a confirmé que, malgré les problèmes liés à la titrisation, les renégociations de prêts sont plus nombreuses, mais qu'elles ne concernaient encore que 3,5 % des prêts en 2007. Il faudrait faire un travail plus systématique de collecte d'information, y compris chiffrée, sur les avantages et inconvénients des renégociations de prêts, afin que les créanciers incitent plus activement les sociétés de gestion à rechercher des solutions acceptables.

Mais, hélas, même si l'on prend des mesures radicales, beaucoup d'accédants n'auront pas les moyens de conserver leur logement. C'est une réalité dont il faut que les pouvoirs publics locaux aient conscience. Il leur faudra également faire face à la perspective effrayante de voir, dans les quartiers qui sont justement les moins bien armés pour absorber le choc, des concentrations considérables de maisons vendues à l'encan, car les prêteurs les plus cupides et les moins scrupuleux ont ciblé en priorité les personnes de couleur, qui sont les plus vulnérables financièrement. Toute la difficulté sera de faire en sorte que ces biens ne restent pas vacants et ne tombent pas non plus entre les mains de propriétaires négligents, voire absents, mais dans celles d'acheteurs responsables, qui les occupent et les entretiennent.

L'action de terrain constituera un défi stimulant pour la philanthropie privée, mais son impact et sa portée auraient tout à gagner à une meilleure articulation avec les financements publics, fédéraux ou locaux. Ma fondation soutient ainsi des initiatives locales à New York et dans le Maryland.

À New York, nous avons créé le Center for New York City Neighborhoods, cofinancé par la mairie, par des donateurs privés et par le secteur du crédit. Il s'emploie à renforcer et à coordonner les actions de soutien à la prévention des saisies, en particulier les services de conseil et d'assistance juridique, d'aide à la renégociation de prêt, ou encore d'éducation du consommateur. L'objectif prioritaire du Centre est le maintien dans les lieux du plus grand nombre possible d'accédants. Dans les cas où cela sera irréalisable, il cherchera à assurer la reprise du bien par un propriétaire socialement responsable ou par une organisation à but non lucratif, de façon à préserver la stabilité du quartier. Mais nous avons bon espoir de parvenir à aider jusqu'à 18 000 emprunteurs chaque année. Le Centre se comportera en honnête courtier, facilitant la communication entre les emprunteurs, les bailleurs de fonds et les gestionnaires de prêts. Le marché immobilier new-yorkais n'est pas le plus atteint par la crise actuelle, mais l'idée est que les solutions trouvées à New York pourront servir de modèle ailleurs.

Divers efforts sont également entrepris dans le Maryland pour aider les accédants en cessation de paiement ou au bord de la cessation de paiements. La Baltimore Homeownership Preservation Coalition et un groupement analogue dans le comté de Prince George fournissent aux accédants en difficulté un interlocuteur à qui s'adresser, et qui aura à cœur de défendre leurs intérêts. Le principal frein à l'efficacité de ces initiatives est le manque de conseillers bien formés. C'est pourquoi nous avons l'intention de soutenir des programmes de formation, dont certains recevront sans doute également des subventions de l'État du Maryland.

Nous continuons aussi à réfléchir à tout ce qui pourrait être fait d'autre.

III

Réflexions sur le krach de 2008

et sur sa signification

9

Le krach de 2008

Introduction

J'ai présenté, dans la précédente édition de ce livre, un cadre conceptuel destiné à interpréter la crise financière, qui n'en était alors qu'à ses débuts. J'avais beau considérer qu'elle était plus grave que la plupart des gens n'étaient prêts à l'admettre, jamais je n'aurais pensé que le système financier se décomposerait à ce point ni que l'économie mondiale ferait naufrage. Chaque fois que, dans le passé, nous nous étions retrouvés au bord du gouffre, les autorités étaient intervenues pour nous sauver. Je m'attendais donc à ce qu'il en soit de même cette fois-ci, mais cela n'a pas été le cas. Le 15 septembre 2008, les autorités ont laissé Lehman Brothers faire faillite, dans l'improvisation la plus complète. Dans les jours qui ont suivi, l'ensemble du système financier a subi l'équivalent d'un arrêt cardiaque et a dû être placé sous respiration artificielle. L'impact de cette crise sur l'économie mondiale a été du même ordre que celui de l'effondrement du système bancaire pendant la Grande Dépression. La débâcle actuelle est un phénomène encore récent, dont tout l'effet ne s'est pas encore fait sentir, mais qui infirme les prévisions que j'avais faites publiquement pour 2008. Le fait est que j'avais largement sous-estimé la gravité de la crise financière. J'avais raison, en revanche, de dire qu'il s'agissait de quelque chose de bien plus important qu'une crise des crédits hypothécaires *subprime* ou que l'éclatement d'une bulle immobilière : c'est le point de retournement d'un processus d'expansion du crédit, ininterrompu depuis la Seconde Guerre mondiale, et qui s'est transformé en super-bulle dans les années 1980.

Voilà ce dont il nous faut être conscients si nous voulons évaluer la situation, les options politiques entre lesquelles arbitrer, mais aussi le cadre conceptuel que j'ai soumis à la réflexion publique. Avant de revenir, en conclusion, sur ce dernier, je vais brosser un tableau de la situation en partant de mes propres performances d'investisseur en 2008, puis passer en revue les événements marquants de l'année et analyser les décisions politiques à prendre.

Mes performances en 2008

Le chapitre 7, « Mes perspectives pour l'année 2008 », témoigne clairement que j'avais prévu, *grosso modo*, ce qui allait se passer, et que mes anticipations ont été somme toute raisonnables. Je me suis néanmoins trompé sur un point, et cela m'a coûté cher : il n'y a pas eu de découplage entre les pays développés et les pays en développement. La Bourse a été touchée plus sévèrement encore en Inde et en Chine qu'aux États-Unis et en Europe. Faute d'avoir réduit notre exposition, nous avons perdu plus d'argent sur les marchés indiens que nous n'y en avions gagné en 2007. Notre responsable pour la Chine, en revanche, a fait mieux que la moyenne du marché grâce à une sélection d'actions judicieuse, ainsi qu'à l'appréciation du yuan. J'ai dû puiser dans le macro-compte pour compenser ces pertes et celles essuyées par nos gestionnaires externes, mais cela m'a obligé, malheureusement, à multiplier les transactions et à prendre des positions qui se sont révélées trop importantes au regard de la volatilité croissante des marchés. Comme je ne pouvais pas me permettre d'aller trop à contre-courant de la tendance dominante, je me suis efforcé de m'appuyer sur certaines évolutions secondaires du marché. Il était difficile, dans ces conditions, de maintenir des positions courtes.

Le ratio risque-récompense de la vente d'actions à découvert est exactement inverse de ce qu'il est en position longue[1]. En position longue, en effet, l'exposition au risque décroît lorsque le marché est défavorable, alors qu'elle s'accroît en position courte. Un spéculateur qui vend à découvert en tablant sur une baisse des cours ne peut donc pas se permettre d'être aussi audacieux

1. Voir page 105 *(N.d.T.)*.

que quelqu'un qui investit en tablant sur une hausse. Et lorsque trop de gens ont des positions courtes, il peut se produire des *squeezes* dangereux. J'ai beau avoir quelque expérience en la matière, je me suis laissé surprendre plusieurs fois, au point de devoir laisser passer, en octobre et en novembre, le plus fort courant baissier de l'année.

La volatilité accrue des marchés était l'expression d'une incertitude accrue. J'avais prévu et même annoncé, l'an dernier, cette période de très grande incertitude, mais je n'ai pas su en tirer les bonnes conclusions pour mon propre compte. Avec une moindre exposition au risque, j'aurais pu m'accrocher à mes positions stratégiques et afficher des gains supérieurs en fin d'année.

Je dis bien « j'aurais pu », car les quelques positions longues stratégiques que j'avais prises se sont soldées par des pertes énormes. Je m'étais laissé impressionner, en particulier, par la découverte, au large des côtes brésiliennes, d'un gisement de pétrole *offshore* au potentiel considérable compte tenu de la perspective d'épuisement rapide des réserves existantes, et j'avais donc pris une position importante sur Petrobras — juste à temps pour voir le cours de l'action chuter de 75 %. J'ai également cédé au chant des sirènes de l'industrie pétrochimique naissante dans les émirats du Golfe.

Je n'ai pas su non plus tirer parti de l'intuition juste que j'avais eue à propos de la bulle des produits de base. J'avais bien compris que la fuite devant la monnaie était en train de transformer en bulle une tendance ascendante de long terme, et j'ai d'ailleurs témoigné en ce sens devant une commission du Congrès des États-Unis (voir Annexe 1). Nous avons abandonné à temps notre position stratégique longue sur CVRD, producteur brésilien de minerai de fer, et vendu à découvert des titres d'autres sociétés minières importantes, mais nous avons laissé échapper l'occasion de réaliser un bénéfice enviable sur les produits eux-mêmes — en partie parce que je les savais, d'expérience, difficiles à négocier.

J'ai également mis du temps à identifier le retournement de tendance sur le dollar, ce qui m'a valu de reperdre une bonne partie de ce que j'avais gagné. Grâce, en revanche, à mon nouveau responsable des investissements, nous avons dégagé un bénéfice au Royaume-Uni, en tablant sur une baisse des taux d'intérêt à court terme et en vendant de la livre sterling pour acheter de l'euro. Nous avons aussi eu le nez creux en prenant des positions longues sur les marchés de crédit aux États-Unis après leur effondrement.

J'ai néanmoins fini par comprendre que la force du dollar était due non pas à la préférence des gens pour cette devise, mais à leur moindre capacité à s'endetter en dollars ou à proroger l'échéance de leurs emprunts libellés en dollars. De même que la fièvre est le révélateur de la maladie, la force du dollar est tout simplement le signe de la perturbation du système financier. Cette intuition m'a aidé à anticiper le retournement du marché des changes qui s'est produit fin 2008, si bien que nous avons terminé l'année en léger excédent après l'avoir passée en grande partie dans le rouge. En ces temps de destruction généralisée de richesses, la performance me paraît plus qu'honorable.

Le krach de 2008

La faillite de Lehman Brothers, le lundi 15 septembre 2008, a radicalement changé la donne. Les autorités qui, par le passé, étaient toujours intervenues lorsque le système financier était en danger, ne l'ont pas fait cette fois, et les conséquences ont été désastreuses. Les CDS (*Credit Default Swaps*[1]) ont monté en flèche, de sorte que l'assureur AIG (American International Group), qui détenait une importante position courte sur ces contrats, était menacé de banqueroute imminente. Dès le lendemain, le secrétaire américain au Trésor, Henry Paulson, a dû se déjuger et se porter au secours d'AIG – à des conditions draconiennes. Mais le pire était à venir. Lehman était l'un des principaux acteurs du marché des effets de commerce, tant comme détenteur que comme émetteur. Un fonds indépendant qui détenait des titres Lehman a dû cesser, faute de liquidités suffisantes, de les racheter au pair. La panique qui s'en est suivie sur le marché monétaire a viré dès le jeudi 18 à la débandade, puis s'est étendue à la Bourse elle-même. La Réserve fédérale a dû accorder sa garantie à tous les fonds du marché monétaire, la vente à découvert d'actions financières a été suspendue, et le Trésor a annoncé un plan

1. Voir note page 22 *(N.d.T.)*.

de sauvetage pour le système bancaire, procurant à la Bourse un répit temporaire.

Ce plan de sauvetage, d'un montant de 700 milliards de dollars, reposait sur une erreur de conception, ou plutôt sur une absence de conception. Aussi étrange que cela paraisse, Paulson, lorsqu'il avait laissé Lehman Brothers faire faillite, n'avait tout simplement pas anticipé les conséquences de l'événement, de sorte qu'il a dû, lorsque le système financier s'est effondré, demander en catastrophe de l'argent au Congrès sans trop savoir à quoi il l'utiliserait. Sans doute comptait-il créer quelque chose de comparable à la Resolution Trust Corporation, qui, dans les années 1980, avait racheté puis liquidé les actifs des caisses d'épargne en faillite. Il a donc demandé au Trésor de lui donner carte blanche, et même de rendre non susceptibles de recours devant les tribunaux les décisions d'emploi des fonds — ce qui, bien entendu, ne lui a pas été accordé. De nombreuses voix, dont la mienne, se sont élevées pour dire que l'argent serait mieux employé à recapitaliser les banques qu'à les débarrasser de leurs actifs toxiques. Paulson a fini par accepter l'idée, mais il l'a mal appliquée. J'ai écrit deux articles, qui figurent en annexes, pour expliquer comment il aurait fallu s'y prendre (voir Annexes 2 et 3).

La situation du système financier a continué de se détériorer. Le marché des effets de commerce s'est trouvé gelé, le LIBOR a monté, les *swap spreads*[1] se

---

1. Écarts entre les taux *swap* (taux d'intérêt interbancaire au pair) et le rendement actuariel des emprunts d'État *(N.d.T.)*.

sont creusés, les CDS ont explosé, les banques d'affaires et autres établissements financiers sans accès direct à la Réserve fédérale se sont trouvés privés de crédit au jour le jour ou à court terme, si bien que la Fed a dû lancer d'innombrables bouées de sauvetage. C'est dans cette atmosphère que le FMI a tenu son assemblée générale annuelle à partir du samedi 11 octobre. Les dirigeants européens sont repartis tôt de Washington, pour se réunir dès le dimanche à Paris, où ils ont pris la décision de ne laisser aucun grand établissement européen faire faillite. Mais ils n'ont pas réussi à se mettre d'accord sur un mécanisme intégré de garantie, si bien que chaque pays a pris ses propres dispositions. Les États-Unis ont pris les leurs peu de temps après.

L'effet pervers, inattendu, a été que la pression s'est accrue sur les pays qui ne pouvaient pas accorder à leurs banques de garantie présentant le même degré de crédibilité. L'Islande était déjà en pleine banqueroute, la plus grande banque hongroise a été l'objet d'un raid baissier, les marchés des changes et les marchés obligataires de Hongrie et d'Europe de l'Est se sont effondrés. Il est arrivé la même chose au Brésil, au Mexique, aux « Tigres » asiatiques et, dans une moindre mesure, à la Turquie, à l'Afrique du Sud, à la Chine, à l'Inde, à l'Australie et à la Nouvelle-Zélande. L'euro a plongé, le yen s'est envolé, le dollar s'est renforcé. Le crédit commercial s'est asséché dans les pays de la périphérie, et les violentes turbulences sur le marché des changes ont fait des victimes, parmi lesquelles de grands exportateurs brésiliens qui, ayant pris l'habitude de vendre des options en échange de leur monnaie lorsqu'elle était en phase ascendante, sont devenus brusquement insolvables, provoquant un mini-krach local.

L'effet cumulé de toutes ces turbulences a été dévastateur, dans le monde entier, sur le comportement des consommateurs, des entreprises et des banques. La crise que traversait le système financier depuis août 2007 était largement passée inaperçue du grand public, et l'activité, à quelques exceptions près, en était peu affectée. Tout a changé dans les semaines qui ont suivi le 15 septembre 2008. L'économie mondiale est entrée en récession, et la chose est apparue au grand jour avec les statistiques d'octobre et de novembre, tant l'effet patrimoine était spectaculaire. Partout, les fonds de pension, les fondations universitaires ou caritatives avaient perdu entre 20 et 40 % de leurs actifs en l'espace de quelques mois — et ce avant même qu'éclate le scandale Madoff, dans lequel ont été engloutis 50 milliards de dollars. L'idée que nous allions affronter une récession longue et profonde, peut-être même une dépression, s'est répandue et auto-entretenue.

La Réserve fédérale a réagi vigoureusement, ramenant le taux des fonds fédéraux à près de zéro le 16 décembre 2008, et jouant la carte de l'assouplissement quantitatif. L'administration Obama a préparé un plan de relance budgétaire sur deux ans, d'un montant de l'ordre de 850 milliards de dollars, ainsi que d'autres mesures radicales.

La réaction des autres acteurs internationaux a été plus timide. Le FMI a instauré une nouvelle facilité de prêt permettant aux pays de la périphérie en situation financière saine d'emprunter sans conditions jusqu'à cinq fois leur quote-part, mais le montant était trop faible, notamment au regard de la stigmatisation que représente le recours au FMI, de sorte que l'outil est resté largement inutilisé. La Fed a ouvert des lignes de *swap* avec le Mexique, le Brésil, la Corée du Sud et Singapour, mais le président de la Banque centrale européenne, Jean-Claude Trichet, a mis les gouvernements en garde contre l'irresponsabilité budgétaire, et l'Allemagne reste fermement opposée à un excès d'offre de monnaie qui risquerait de déboucher sur des tensions inflationnistes. Ces divergences rendent très difficile une action internationale concertée et sont également susceptibles de provoquer d'amples fluctuations des taux de change.

Rétrospectivement, la faillite de Lehman Brothers est comparable aux faillites bancaires survenues dans les années 1930. Comment a-t-on pu laisser une telle chose se reproduire ? La responsabilité en incombe directement aux autorités financières américaines, et en particulier au Trésor et à la Réserve fédérale. Celles-ci prétendent qu'elles n'avaient pas le droit de faire autrement, mais l'excuse ne tient pas. Elles pouvaient et devaient, en cas d'urgence, faire tout ce qui était nécessaire pour empêcher le système de s'effondrer, comme elles l'avaient fait en d'autres occasions. Mais elles ont choisi de rester inertes. Pourquoi ?

Je distinguerais, pour ma part, entre l'attitude du secrétaire au Trésor, Henry Paulson, et celle du président de la

Réserve fédérale, Ben Bernanke. C'est Paulson qui était en première ligne, étant donné que Lehman Brothers, en tant que banque d'affaires, n'était pas dans le champ de compétences de la Fed. Paulson, à mon avis, était réticent à recourir à l'argent du contribuable parce qu'il savait que cela revenait à renforcer le contrôle de l'État. En bon intégriste du marché, il estimait que celui-ci serait sauvé grâce aux mêmes méthodes et instruments qui étaient à l'origine de ses difficultés. C'est pourquoi il a échafaudé un plan, mort-né, consistant à créer un super-SIV[1] pour racheter les SIV en faillite. Il adhérait à la doctrine selon laquelle le marché est mieux à même de procéder à des ajustements que n'importe lequel de ses acteurs pris isolément. Faute d'avoir compris que, six mois seulement après la crise de Bear Stearns, les marchés n'étaient pas encore préparés à assister à la faillite de Lehman Brothers, il n'avait pas de stratégie de rechange lorsqu'ils se sont effondrés.

Universitaire de formation, Ben Bernanke est moins idéologue que Henry Paulson. Mais il a été pris au dépourvu par l'éclatement de la super-bulle. Il a soutenu que la bulle immobilière était un phénomène isolé, qui se solderait par des pertes ne dépassant pas 100 milliards de dollars, et que l'on pourrait facilement éponger. Inconscient du vice constitutif de la théorie de l'équilibre, il n'a pas su prévoir que les méthodes et instruments fondés sur l'hypothèse erronée que les prix s'écartent de façon aléatoire d'un point d'équilibre théorique s'ef-

---

1. *Structured Investment Vehicle* (voir p. 18).

fondreraient comme un château de cartes. Mais c'est un homme qui apprend vite : il a donc réagi, lorsque l'effondrement a eu lieu, en baissant drastiquement les taux d'intérêt, une première fois dès janvier 2008, une seconde fois en décembre de la même année. Malheureusement, il était déjà trop tard, de sorte qu'il a toujours couru après les événements et que la situation est devenue incontrôlable.

La disparition de Lehman Brothers suffit à invalider l'hypothèse des marchés efficaces. Mon propos sera, par la force des choses, quelque peu polémique, mais je crois qu'il soulève plusieurs questions très intéressantes. En tout cas, chacun des trois points de mon argumentation entraînera le lecteur sur des terrains qui ne lui sont pas forcément familiers.

Le premier point est qu'il existe une asymétrie, sur le marché des actions, entre position longue et position courte. Comme je l'ai expliqué plus haut, une position longue a un potentiel illimité à la hausse et une exposition limitée à la baisse, alors que c'est l'inverse pour une position courte. En d'autres termes, être perdant sur une position longue réduit l'exposition au risque, être perdant sur une position courte l'accroît. Il en résulte que, lorsque l'évolution du marché vous est défavorable, vous pouvez prendre plus longtemps votre mal en patience en étant « long » que court. Cette asymétrie a pour effet de décourager la vente d'actions à découvert.

Le deuxième point repose sur la compréhension de ce que sont les CDS : un moyen pratique de vendre des obligations à découvert. Sur le marché obligataire, en effet, l'asymétrie entre risque et récompense est inverse de ce qu'elle est sur le marché des actions. La vente à découvert d'obligations par souscription d'un contrat CDS comporte un risque limité et un gain potentiel illimité ; au contraire, la cession de CDS comporte un gain potentiel limité, mais un risque pratiquement illimité. Cette asymétrie favorise la vente à découvert, ce qui exerce une pression à la baisse sur les obligations sous-jacentes. En cas d'anticipation d'une évolution défavorable, l'impact négatif peut être considérable, car les CDS tendent à être cotés comme des warrants et non comme des options : les gens en achètent, non pas parce qu'ils anticipent un défaut de paiement en bout de course, mais parce qu'ils attendent des CDS qu'ils s'apprécient en cas d'évolution défavorable du marché, et aucun arbitrage n'est susceptible d'y changer quoi que ce soit. On le voit clairement dans le cas des obligations d'État américaines ou britanniques : leur cours réel est bien plus élevé que leur prix implicite tel que reflété par les CDS. Ces asymétries sont difficilement conciliables avec l'hypothèse des marchés efficaces.

La troisième étape du raisonnement est celle où intervient la réflexivité, c'est-à-dire le fait qu'une évaluation erronée des instruments financiers affecte les fondamentaux que les prix de marché sont supposés refléter. Nulle part ce phénomène n'est aussi net que dans le cas d'établissements dont la capacité à gagner de l'argent repose sur la confiance qu'ils inspirent. Une baisse du cours de leurs actions et obligations peut accroître leur coût de financement, de sorte qu'un raid baissier sur un établissement financier est susceptible d'entretenir et d'accentuer la tendance, ce qui contredit radicalement l'hypothèse des marchés efficaces.

Ces trois considérations combinées nous permettent de conclure que Lehman Brothers, AIG et plusieurs autres établissements financiers ont été détruits par des raids baissiers, lors desquels l'achat de CDS et la vente à découvert d'actions se sont mutuellement confortés. Toute limite à la vente à découvert d'actions a été levée du fait de la suppression de la règle dite de l'*uptick* (qui n'autorise la vente à découvert que sur les titres dont le dernier cours est en hausse par rapport au précédent), et, pour les obligations, par le marché des CDS. La combinaison de ces deux facteurs a été fatale, et c'est ce que n'a pas su comprendre AIG, l'une des sociétés d'assurance les plus florissantes au monde. Son métier était de vendre des assurances, et, lorsque un risque lui semblait mal évalué, elle s'empressait néanmoins de l'assurer, partant du principe que la diversification réduit le risque. Elle espérait gagner énormément sur le long terme, mais elle a rapidement périclité, faute d'avoir compris qu'elle vendait non pas des assurances, mais des warrants adossés à la vente à découvert d'obligations.

Ma démonstration se prête à une vérification empirique. Il est incontestable que le marché des CDS est bien plus important, par son montant (qui s'est élevé, en nominal, jusqu'à 62 000 milliards de dollars), que l'ensemble des marchés. Par ailleurs, il est permis de supposer qu'il existait quelque collusion entre les gens qui vendaient des actions à découvert et qui achetaient des

CDS, mais le sujet, pour anecdotique qu'il soit, mérite-rait une enquête plus approfondie.

Tout cela soulève plusieurs questions intéressantes. Que se serait-il passé si la règle de l'*uptick* avait été maintenue en vigueur et la spéculation sur les CDS mise hors la loi ? Peut-être la faillite de Lehman Brothers aurait-elle été évitée, mais *quid* de la super-bulle ? On ne peut évidemment que formuler des conjectures, mais j'ai l'intuition qu'elle se serait dégonflée plus lentement, avec des conséquences à la fois moins graves et plus durables. La situation aurait davantage ressemblé à celle que connaît le Japon depuis un certain nombre d'années qu'à celle que nous vivons actuellement.

Quel rôle assigner à la vente à découvert ? Il est indé-niable qu'elle donne aux marchés plus de dynamisme et de continuité, plus de résilience aussi, mais elle n'est pas sans dangers. Les raids baissiers devraient être tenus sous surveillance, car ils risquent d'entraîner un pro-cessus de baisse cumulatif. Si l'hypothèse des marchés efficaces était valide, il y aurait une raison *a priori* pour n'imposer aucune contrainte. Mais, comme elle ne l'est pas, le rétablissement de la règle de l'*uptick* et la limita-tion de la vente à découvert aux titres correspondant à des actions réellement empruntées seraient des mesu-res utiles et pragmatiques, bien qu'elles ne reposent sur aucune justification théorique précise.

Sur les CDS, mon opinion est plus radicale que celle de la plupart des gens. L'idée communément admise est qu'ils devraient faire l'objet d'un marché régle-menté. Je considère pour ma part qu'ils sont toxiques et ne devraient être utilisés que sur ordonnance, dans le but d'assurer des obligations réelles et en aucun cas — compte tenu de l'asymétrie dont j'ai fait état plus haut — de spéculer contre des pays ou des sociétés[1]. Mais les CDS ne sont pas les seuls instruments financiers synthétiques dont la toxicité soit avérée. Il en est de même, pour ne citer que les deux plus dangereux, du découpage en tranches des CDO (*Collateralized Debt Obligations*)[2] et des contrats d'assurance de portefeuille, qui sont à l'origine du krach boursier de 1987. L'émission d'actions fait l'objet d'un contrôle strict de la SEC (*Securities and Exchange Commission*) ; pourquoi celle des dérivés de crédits et autres instruments synthétiques ne le serait-elle pas aussi ? Le rôle de la réflexivité et les asymétries dont il a été question plus haut devraient conduire à rejeter sans autre forme de procès l'hypothèse des marchés efficaces et à réviser de fond en comble la réglementation.

La faillite de Lehman Brothers a provoqué la même onde de choc sur le comportement des consommateurs et des entreprises que les faillites bancaires des années 1930, mais la difficulté à laquelle Obama se trouve confronté est au moins deux fois plus grande que celle

---

1. L'euro s'est trouvé mis en difficulté, à partir du début de 2009, par les transactions sur les CDS. Plusieurs pays de l'Eurogroupe, qui sont en situation de surendettement, courent le risque d'être déclassés par les agences de notation. La souscription de contrats CDS alourdit le coût de leurs emprunts et réduit le bénéfice qu'ils tirent de leur appartenance à l'euro. Cela entretient le doute sur la viabilité de cette devise, dont la faiblesse sous-jacente, intrinsèque, est aggravée et entretenue par le marché des CDS *(N.d.T.)*.

2. Voir note p. 20 *(N.d.T.)*.

que Roosevelt avait eu à résoudre. Il suffit d'un simple calcul pour s'en convaincre. L'encours total des crédits distribués était de 160 % du PIB en 1929 — et avait grimpé jusqu'à 260 % en 1932, du fait de la progression de l'endettement et de la baisse du PIB. Il était de 365 % au début du krach de 2008, et devrait atteindre, voire dépasser 500 % lorsque le plein effet de celui-ci se fera sentir — et encore ce calcul ne tient-il pas compte du recours envahissant aux dérivés de crédit, qui n'existaient pas dans les années 1930 et qui compliquent considérablement la situation. L'encours nominal total des contrats CDS est plus de quatre fois supérieur au PIB ! Nous avons toutefois un motif d'optimisme : nous pouvons tirer parti, et ce depuis le début même de la crise, de l'expérience des années 1930 et des recommandations de John Maynard Keynes, dont la *Théorie générale de l'emploi, de l'intérêt et de la monnaie*[1] n'a été publiée qu'en 1936. Je m'en inspirerai en partie pour esquisser les grandes lignes de ce que devrait être, selon moi, la politique de l'administration Obama, puis pour imaginer ce à quoi l'avenir pourrait ressembler.

---

1. Payot, 1959 *(N.d.T.)*.

10

Un programme de redressement économique

L'éclatement des bulles provoque la contraction du crédit, la liquidation forcée des actifs, la déflation, une destruction de richesses pouvant atteindre des proportions catastrophiques. Dans un environnement déflationniste, le poids des dettes accumulées peut faire sombrer le système bancaire et plonger l'économie dans la dépression. C'est ce qu'il faut prévenir à tout prix.

La seule solution consiste à créer de la monnaie pour compenser la raréfaction du crédit, à recapitaliser le système bancaire, à apurer ou annuler de façon méthodique les dettes accumulées — l'idéal étant de faire les trois en même temps. Cela suppose des mesures aussi radicales que peu orthodoxes. Si elles aboutissent, si le crédit reprend son essor, les pressions déflationnistes feront place au spectre de l'inflation et les autorités devront alors aspirer le surplus d'offre de monnaie presque aussi vite qu'elles l'auront provoqué. Cette deuxième opération est sans doute plus délicate encore que la première, à la fois techniquement et politiquement, mais l'alternative — dépression mondiale et désordre généralisé — n'est pas acceptable. La seule façon de sortir d'une situation éloignée de l'équilibre est de provoquer d'abord son contraire et de rectifier le tir ensuite.

Comme je l'ai dit, la difficulté est plus grande encore que dans les années 1930. La situation est en effet aggravée par le traitement erratique et arbitraire dont elle a fait l'objet de la part de l'administration Bush. Le public comme les milieux d'affaires étaient en état de choc au lendemain de la faillite de Lehman Brothers, et l'économie est plongée, depuis, dans un profond marasme.

Pour empêcher l'économie de glisser dans la dépression, le président Obama doit lancer une politique à la fois globale et radicale, dont les cinq composantes principales sont : une relance budgétaire ; une restructuration complète du système hypothécaire ; une recapitalisation du système bancaire ; une politique énergétique innovante ; une réforme du système financier international.

Une relance budgétaire

Il s'agit ici de mesures de bon sens, pour lesquelles je n'ai guère d'idées originales à apporter. Le plan de relance, premier pas indispensable vers la sortie de crise, est déjà bien avancé, mais il sera long à mettre en œuvre et ne fera que limiter la casse. Pour inverser réellement la tendance, il faut réorganiser de fond en comble le système hypothécaire et le système financier.

Une restructuration complète du système hypothécaire

L'effondrement du système financier a commencé avec l'éclatement de la bulle immobilière aux États-Unis. Il existe désormais un danger réel que les prix de l'immobilier baissent trop et que cette baisse grève les bilans des banques. Pour empêcher cela, il faut naturellement réduire dans toute la mesure du possible le nombre des saisies et faciliter la propriété du logement, tant pour les nouveaux accédants que pour les propriétaires en place. Mais cela ne suffira pas. Il faudra aussi refondre complètement le système de financement hypothécaire, le remplacer par un système différent, exempt des défauts qui sont à l'origine de nos difficultés actuelles. Il est rare qu'un changement systémique soit à la fois nécessaire et possible ; l'actualité nous fournit justement une telle occasion.

Je plaide pour l'adoption, moyennant les ajustements appropriés, du modèle danois, qui a prouvé son efficacité depuis sa mise en place au lendemain du grand incendie de Copenhague en 1795. Si notre système s'est effondré, c'est parce que les sociétés de crédit hypothécaire, uniquement soucieuses de percevoir le plus de frais bancaires possible, n'ont pas assumé leur part du risque de crédit. Leur intérêt mercantile divergeait en cela de celui des détenteurs d'hypothèque. Au Danemark, en revanche, ces sociétés assument leur part du risque : elles sont tenues de remplacer les hypothèques en défaut de paiement.

Autre différence : notre dispositif actuel repose sur deux sociétés bénéficiant de la garantie de l'État, « Fannie Mae » et « Freddie Mac », tandis que le système danois est un système ouvert, dans lequel toutes les sociétés de crédit sont sur un pied d'égalité, et qui fonctionne sans garanties publiques. Cela n'empêche pas les obligations hypothécaires danoises d'être très bien notées, alors même que leur rendement est souvent inférieur à celui des obligations d'État. Certes, le marché est actuellement trop déprimé pour que le système puisse être reproduit à l'identique aux États-Unis, mais il pourrait l'être par la suite.

Les obligations hypothécaires danoises sont très standardisées : elles sont identiques aux hypothèques sous-jacentes et interchangeables avec elles. Un accédant peut rembourser à tout moment son hypothèque en achetant sur le marché une obligation d'un montant correspondant. Le cours des obligations et les prix de l'immobilier évoluant normalement dans le même sens (principe d'équilibre), le risque pour un accédant de voir son capital devenir négatif est réduit à presque rien. Les sociétés de crédit hypothécaire sont strictement encadrées, et leurs intérêts étroitement alignés sur ceux des détenteurs d'obligations. Elles assument le risque de crédit et ne laissent à ces derniers que le risque lié aux taux d'intérêt. C'est ce qui explique que les obligations hypothécaires soient si bien notées.

Lorsque le Mexique a voulu, pour favoriser l'accession à la propriété, sécuriser son système hypothécaire, il a opté, sur mon conseil, pour le modèle danois. Ma position était d'ailleurs soutenue par le département américain du Trésor, alors dirigé par Paul O'Neill. Il est clair que le modèle danois est supérieur au modèle américain, mais toute la difficulté réside dans le passage de l'un à l'autre.

J'avais d'abord proposé un schéma dans lequel toute hypothèque actuellement insolvable, c'est-à-dire pour laquelle le montant du capital restant dû dépasse la valeur du bien sur le marché, serait remplacée par une nouvelle hypothèque, intégrant le principe d'équilibre du modèle danois, mais garantie par une agence fédérale. L'avantage de ce schéma aurait été de supprimer l'incitation à se déclarer en défaut de paiement pour obtenir une renégociation de prêt, mais les obstacles politiques et institutionnels étaient considérables. Le découpage en tranches des CDO a créé tant de conflits d'intérêts entre les détenteurs des différentes tranches qu'aucun schéma de restructuration, qu'il soit obligatoire ou optionnel, n'était envisageable.

Prenant acte de cette impossibilité, je me suis avisé qu'une solution de repli était disponible. « Freddie Mac » et « Fannie Mae » sont devenus, *de facto*, la propriété de l'État, mais celui-ci n'exerce pas ses pouvoirs de contrôle. Ces deux sociétés sont en quelque sorte dans les limbes, déchirées entre les intérêts de leurs actionnaires et ceux du public. Alors même que la perspective de voir les détenteurs de titres tirer quelque chose de ceux-ci est chimérique, elles cherchent à profiter de leur situation de quasi-monopole en prélevant des frais très élevés et en imposant des conditions draconiennes aux demandes de refinancement comme aux demandes de prêt. Le problème du logement s'en trouve aggravé, mais les choses pourraient changer du tout au tout si un nouveau régulateur affirmait son autorité et utilisait ces sociétés comme un outil de politique publique.

Dans cette configuration, elles pourraient proposer un contrat hypothécaire d'un type nouveau, inspiré du modèle danois, c'est-à-dire transparent, uniforme et fondé sur le principe d'équilibre. Elles pourraient réduire leurs frais, relever le plafond des hypothèques qu'elles sont disposées à garantir, et introduire une nouvelle ligne de garanties — jusqu'à 90 % de la valeur expertisée moyennant une prime plus élevée — en se substituant dans les faits aux sociétés hypothécaires privées devenues inactives. Le refinancement des hypothèques en cours suivrait une procédure rationalisée, dont le coût serait nettement plus faible qu'aujourd'hui, et donc incitatif. Les détenteurs de titres hypothécaires en défaut de paiement pourraient recourir aux dispositions du *Help for Homeowners Act* et toucher 85 % de la valeur expertisée, ce qui serait plus avantageux pour eux, dans la plupart des cas, que de lancer une procédure de saisie. Les accédants qui refuseraient cette solution pourraient se voir imposer par le juge une procédure de faillite simplifiée. Dans l'un et l'autre cas, le nombre des saisies serait fortement réduit, et le fait que les hypothèques soient meilleur marché et plus faciles d'accès permettrait de stabiliser les prix de l'immobilier à un meilleur niveau. Quant aux établissements financiers, ils

récupéreraient une partie de leurs pertes sur les hypothèques et titres immobiliers.

Il y a quelque ironie à constater que ces deux sociétés,
qui sont à la racine du problème, pourraient fournir un
élément de sa solution. À plus long terme, elles seraient
mises en extinction et leurs portefeuilles dispersés ; elles
deviendraient une sorte d'agence fédérale, en charge
des garanties hypothécaires apportées par l'État — et
encore cette fonction pourrait-elle finir par disparaître,
une fois le modèle danois entré dans les mœurs. Dans le
nouveau système, les émetteurs continueraient de sup-
porter 10 % du risque de crédit et seraient autorisés
à percevoir en contrepartie des frais dont le montant
serait déterminé par le jeu de la concurrence. Une fois
le système parvenu à maturité, les gestionnaires de prêts
pourraient trouver plus avantageux d'assumer la totalité du risque de crédit que de bénéficier de garanties
publiques payantes. Cette hypothèse nous rapprocherait
plus encore du modèle danois.

Cette séquence, au cours de laquelle des sociétés
semi-publiques monteraient en puissance dans un premier temps pour s'effacer ensuite, ressemble à celle qui
caractérise l'ensemble du processus : créer d'abord de
l'inflation pour échapper à la déflation, puis la réduire.
Mais il faut bien prendre garde, au cours de sa mise
en œuvre, à ce qui, dans le communisme, n'a pas fonctionné : l'État n'a pas dépéri. Le dépérissement doit être
planifié dès le début.

L'ensemble du processus pourrait se dérouler en s'appuyant sur la nouvelle loi sur les faillites, en cours d'exa-

men par le Congrès, et sur les deux sociétés que l'État contrôle déjà — et sur lesquelles il ne lui reste plus qu'à exercer ses pouvoirs. Les dispositions du projet de loi relatives aux hypothèques rencontrent pour l'heure une vive opposition de la part de nombreux établissements détenteurs ; il devrait être possible de convaincre la plupart d'entre eux qu'ils ont beaucoup à gagner au schéma que je viens de décrire. Le coût pour le contribuable se limiterait aux éventuelles pertes subies par « Fannie Mae » et « Freddie Mac », mais, compte tenu de l'impact sur les prix de l'immobilier et sur l'économie, l'effet net serait probablement positif.

Une recapitalisation du système bancaire

Je ne peux malheureusement pas brosser un tableau aussi clair de ce à quoi ressemblerait un système bancaire réformé, car il n'existe pas de modèle dont on puisse s'inspirer. Le système espagnol a beau présenter quelques caractéristiques enviables et avoir su, mieux que le système américain, tenir le choc d'un boom immobilier qui était pourtant plus vigoureux encore, il n'empêche que l'Espagne est davantage touchée que les États-Unis par le krach de 2008. Le carcan imposé aux banques américaines après la Grande Dépression, et qui n'a commencé d'être desserré que dans les années 1970, n'est certainement pas un exemple à suivre. Nous sommes donc en terrain inconnu.

J'ai résumé, dans la première édition de ce livre,

les principales leçons à retenir de la crise financière actuelle : les marchés financiers ne tendent pas vers l'équilibre et les écarts ne sont pas aléatoires. L'expansion du crédit comme sa restriction sont des processus réflexifs, qui tendent à s'inscrire dans des séquences *boom-bust*, cumulatives à leur début et autodestructrices à leur fin. Il ne suffit donc pas de réguler l'offre de monnaie ; il faut aussi réguler les conditions du crédit. Cela suppose que soient remis en vigueur certains instruments de politique monétaire tombés en désuétude : relèvement du dépôt de garantie et du ratio minimal de fonds propres, encadrement par les banques centrales des prêts bancaires destinés à des secteurs particuliers. Tous les établissements impliqués dans la création de crédit doivent être réglementés, et pas seulement les banques. L'objectif est de maintenir la stabilité et d'éviter que des erreurs d'évaluation conduisent à des excès qui se nourrissent d'eux-mêmes. Le même principe vaut pour les instruments financiers, qui doivent être labellisés et encadrés afin de garantir leur transparence et leur uniformité et de les empêcher de déstabiliser les marchés. L'effet de levier, en particulier, doit être manié avec plus de prudence : au lieu de se contenter d'autoriser des risques quantifiables, il faut imposer une marge de sécurité supplémentaire pour les incertitudes inhérentes à la réflexivité. L'ingénierie financière, les produits structurés, certaines autres innovations contestables peuvent être franchement nocives dans la mesure où leur effet, sinon leur but, est de contourner la réglementation ou de la rendre inopérante.

Le secteur financier est devenu hypertrophié et ses bénéfices excessifs. Il est souhaitable qu'il réduise de volume et soit soumis au contrôle des autorités. Le problème est que celles-ci sont restées nationales, tandis que les marchés financiers sont devenus mondiaux. Elles doivent s'internationaliser elles aussi, et les institutions financières mondiales veiller de façon plus équitable aux intérêts de tous leurs membres.

Depuis la première édition de ce livre, les marchés financiers se sont effondrés et ont dû être placés sous respiration artificielle. Les maintenir en vie et empêcher l'économie mondiale d'entrer dans la spirale de la dépression doit primer toute autre considération. Le redressement, comme je l'ai dit, doit passer par deux étapes. La première consiste à parer au resserrement du crédit en créant de la monnaie, en effaçant la mauvaise dette et en recapitalisant les banques. Ensuite, lorsque cette politique aura produit ses effets (si elle les produit), il faudra aspirer l'offre de monnaie excédentaire à mesure que le crédit recommencera à affluer. En d'autres termes, les mesures prises au début nous feront suivre une direction diamétralement opposée à notre destination finale, mais celle-ci ne devra jamais être perdue de vue. Malheureusement, le secrétaire au Trésor Henry Paulson a réagi de façon erratique et inconséquente, de sorte que la situation est devenue incontrôlable. Après la faillite de Lehman Brothers, il a voulu imposer au Congrès un plan de sauvetage d'un montant de 700 milliards de dollars sans trop savoir lui-même comment, avec cette somme, recapitaliser les banques de façon adéquate. J'ai expliqué, au moment du débat au Congrès, dans un article publié le 1er octobre 2008 par l'édition en ligne du *Financial Times*, comment il aurait fallu procéder :

> Le secrétaire au Trésor donnerait aux experts chargés de l'audit des banques des consignes claires quant à la façon d'évaluer les actifs. On pourrait considérer, par exemple, que l'immobilier commercial a perdu en moyenne 30 % de sa valeur, et leur demander de déterminer le volume de fonds propres supplémentaires dont chaque banque a besoin pour que sa capitalisation réponde aux normes souhaitables. Les banques qui ne pourraient pas lever de fonds sur le marché s'adresseraient au Trésor. Celui-ci leur proposerait de garantir une émission d'actions préférentielles convertibles, qui comporteraient un coupon peu élevé (par exemple, 5 %), de sorte qu'elles aient intérêt à continuer de prêter, mais que l'actionnariat soit fortement dilué du fait de la convertibilité. Les actionnaires, cependant, recevraient le droit de souscrire aux mêmes conditions que le Trésor, et pourraient, en l'exerçant, éviter la dilution. Les droits de souscription seraient cessibles, et les conditions de souscription fixées de telle sorte qu'ils aient une réelle valeur sur le marché. De nombreux investisseurs privés, moi y compris, seraient sans doute intéressés par l'achat de certaines actions bancaires aux mêmes conditions que le Trésor.
>
> Après recapitalisation, les minima de fonds propres seraient abaissés à 6 % environ. Cela inciterait les banques à prêter, car elles pourraient supporter une nouvelle dépréciation de 25 % de leurs actifs sans enfreindre les limites statutaires, et elles feraient leur possible pour tirer parti des amples marges actuellement en vigueur. L'économie s'en trouverait stimulée. Chacun étant assis sur un

tas de liquidités et soudain désireux de les faire fructifier, on assisterait à une ruée sur les actifs moins liquides. Le spectre de la déflation ferait place à celui de l'inflation, et il faudrait aspirer les liquidités excédentaires aussi vite qu'elles ont été injectées. Les minima de fonds propres seraient alors portés à 8 %, puis au-delà. L'effet de levier du système bancaire serait ainsi réduit, ce qui est un objectif hautement souhaitable à long terme.

En concevant ainsi dès le début le plan de sauvetage des actifs à risques, on aurait pu recapitaliser le système bancaire avec 700 milliards de dollars, peut-être même moins. Malheureusement, la moitié de cette somme a déjà été dépensée, et une bonne part de l'autre moitié servira à combler les trous qui se sont creusés. Ce qui était possible à l'époque ne l'est donc plus aujourd'hui. C'est d'ailleurs une caractéristique des crises financières et, plus généralement, des situations éloignées de l'équilibre : ce qui est approprié à un moment donné ne l'est plus l'instant d'après.

Une juste recapitalisation du système bancaire se heurte aujourd'hui à deux obstacles apparemment insurmontables. Le premier est que le secrétaire au Trésor, Henry Paulson, a tout gâché en voulant passer en force pour mettre en œuvre son programme à 700 milliards de dollars. L'administration Obama est consciente qu'elle ne peut pas demander plus d'argent au Congrès. Le second obstacle est que le trou dans le bilan des banques s'est encore agrandi depuis le début de la mise en œuvre du plan. Leurs actifs – immobilier, titres, prêts à la consommation et au commerce – ont continué de se détériorer, de même que la valeur de marché de leurs actions. On estime à quelque 3 500 milliards de dollars supplémentaires le montant des fonds propres nécessaire. La capitalisation totale des banques étant tombée à 1 000 milliards de dollars environ, on voit se profiler le spectre de la nationalisation, difficilement acceptable politiquement, je dirais même culturellement.

Le gouvernement est donc dans l'obligation de faire ce qui est possible, à défaut de pouvoir faire ce qui serait nécessaire. Il envisage de prélever jusqu'à 100 milliards de dollars sur la deuxième tranche du plan de sauvetage afin de mettre sur pied une structure de défaisance qui rachèterait les actifs toxiques des bilans des banques. Cette structure pourrait disposer, grâce à un effet de levier de dix pour un, de 1 000 milliards de dollars. Cela ne suffirait pas pour nettoyer complètement les bilans des banques et faire repartir le crédit, mais cela procurerait un soulagement bienvenu. Il s'agit donc d'une mesure provisoire utile, mais qui risque de rendre plus difficile par la suite la levée des fonds nécessaires à une vraie recapitalisation. Il sera très difficile, en effet, de déterminer la valeur des actifs toxiques, et à supposer même qu'on y parvienne, cela reviendra, dans les faits, à accorder aux banques une subvention occulte, dans la mesure où le prix de rachat de leurs actifs toxiques se trouvera augmenté. Toute dépense supplémentaire destinée à renflouer les banques se heurtera de ce fait à de très fortes résistances politiques, rendant problématique la mobilisation de fonds supplémentaires. Il serait donc inopportun de retenir cette option, d'autant qu'il en existe une autre qui permettrait, avec les ressources actuellement disponibles, de recapitaliser les banques de façon adéquate.

Le mécanisme serait le suivant. Au lieu de purger les bilans des banques de leurs actifs toxiques, on mettrait ceux-ci dans une « poche latérale », comme le font actuellement les *hedge funds* avec leurs actifs non liquides. Le volume de capital correspondant — fonds propres et dette subordonnée — y serait placé sous séquestre. Cela permettrait de nettoyer le bilan des banques et de créer des *good banks*, mais qui resteraient sous-capitalisées. Les 1 000 milliards de dollars dont on envisage actuellement de doter la structure de défaisance pourraient alors servir à recapitaliser ces *good banks*. Les besoins en fonds propres sont naturellement supérieurs, mais la différence serait apportée par les investisseurs privés.

Une *good bank* dégagerait des marges exceptionnelles pour la conjoncture actuelle. Ces marges se réduiraient progressivement du fait de la concurrence, mais au moins le système bancaire serait-il revitalisé et la nationalisation évitée. La situation serait analogue à celle créée par un cyclone dévastateur : les compagnies d'assurance voient leur capital entamé, mais les primes augmentent et l'industrie attire de nouveaux capitaux.

Le schéma que je propose réduit au strict minimum les problèmes d'évaluation des actifs et évite que soit accordée aux banques une subvention de fait. C'est d'ailleurs la raison pour laquelle certains intérêts particuliers manifestent une vive opposition. Au début, les pertes seraient supportées par les actionnaires et les

235

détenteurs d'obligations ; le Federal Deposit Insurance Corporation, organe de garantie des dépôts bancaires, ne serait mis à contribution, comme c'est le cas actuellement, que si elles excédaient le capital d'une banque. Les actionnaires verraient leurs parts diluées, mais ils recevraient des droits de souscription à la *good bank*, droits qu'ils pourraient céder, et, comme le reliquat éventuel de la « poche latérale » serait reversé à celle-ci en date de la nouvelle émission, ils seraient associés aux éventuelles plus-values ultérieures. Certes, le fait que les porteurs d'obligations risquent de perdre de l'argent rendra encore plus difficile la vente d'obligations bancaires, mais ce ne serait pas une mauvaise chose : il faut que les banques exercent un effet de levier plus faible qu'elles ne le font actuellement. Les fonds de pension essuieraient de lourdes pertes ; mais la pire des options serait de les faire subir au contribuable.

Quant à la question de l'aléa moral, elle serait résolue pour quelque temps. Le secteur bancaire est habitué, en cas de crise, à se tourner vers l'État pour réclamer d'être remis à flot, au motif que la bonne marche de l'économie exige que soit protégé le capital financier. Compte tenu de l'aversion de l'opinion pour la propriété publique des banques, ce chantage a toujours fonctionné jusqu'à présent. C'est d'ailleurs ce qui a permis à la super-bulle de prendre de telles proportions. Il faut que l'administration Obama tienne bon et opte pour le schéma esquissé ici, comme prélude à la construction d'un meilleur système financier. Notre avenir en dépend.

Une politique énergétique innovante

La politique énergétique pourrait jouer un rôle bien plus innovant, et contribuer à combattre à la fois la récession et la déflation. Étant donné que le consommateur américain ne peut plus être le moteur de l'économie mondiale, il est nécessaire d'en trouver un nouveau. Les énergies alternatives et les économies d'énergie peuvent remplir cette fonction, à condition que soit maintenu un prix élevé des carburants traditionnels, ce qui, au passage, modérerait le risque de déflation. Mais, malgré ce double avantage, une telle politique sera difficile à faire accepter au public, ce qui explique qu'aucun homme politique ne s'y soit risqué jusqu'à présent.

Le président Obama aura besoin de beaucoup de courage et d'habileté pour agir dans le sens qui est souhaitable. Il s'agit, d'une part, de faire payer les émissions de carbone, soit par l'imposition d'une taxe, soit par la mise aux enchères de droits à polluer (la première solution est plus la efficace, la seconde la plus facile à faire accepter), et, d'autre part, de taxer les importations de pétrole de façon à maintenir les prix intérieurs au-dessus de 70 dollars le baril environ.

Le produit attendu de ces mesures doit être distribué, en totalité et par anticipation, aux ménages. Cela compenserait les prix élevés de l'énergie, rendant le schéma, on peut l'espérer, plus acceptable politiquement, et contribuerait à point nommé à relancer la consommation, même si l'on peut supposer que la majeure partie sera épargnée plutôt que dépensée. Le coût des émissions de carbone serait porté progressivement à un niveau tel que la production de charbon propre deviendrait rentable. C'est indispensable pour lutter contre le changement climatique, car il n'existe pas de substitut adéquat aux centrales électriques à charbon.

Il est primordial de convaincre les acteurs économiques que le coût de l'énergie restera durablement élevé, afin d'encourager l'investissement dans les énergies alternatives et dans les dispositifs visant à économiser l'énergie. Par la suite, ce coût pourra baisser à mesure que baissera celui des nouvelles technologies. Comme il n'est pas possible de se reposer sur le seul jeu des prix pour assurer le développement de ces dernières, il faudra des réductions d'impôt, des subventions, des normes d'émission pour les véhicules et les bâtiments. Mais, même ainsi, il n'y aura ni sécurité énergétique ni ralentissement du changement climatique si l'on ne fait pas payer les émissions de carbone. Les États-Unis ne peuvent pas lancer seuls le processus, mais il n'y aura pas de processus s'ils n'en prennent pas la tête.

Une réforme du système financier international

Le sort des États-Unis est intimement lié à celui du reste du monde. Le système financier international, dans sa configuration actuelle qui remonte aux années 1980, est dominé par les États-Unis et ce qu'on appelle le « consensus de Washington ». Son fonctionnement, loin d'être neutre, favorise les États-Unis au détriment des pays de la périphérie. En effet, les États-Unis exercent un droit de veto sur les institutions financières internationales — FMI et Banque mondiale — et peuvent s'affranchir de la discipline de marché à laquelle doivent se plier les pays de la périphérie. Ces derniers connaissent des crises financières à répétition et sont contraints de suivre des politiques budgétaires procycliques, tandis que les États-Unis continuent de drainer l'épargne du monde entier et s'accommodent d'un déficit des paiements courants en constante progression. Cette situation aurait pu perdurer indéfiniment, étant donné que la propension des États-Unis à entretenir un déficit élevé n'a d'égale que celle d'autres pays à dégager des excédents. Mais tout est remis en cause par l'éclatement de la bulle immobilière, qui a mis en évidence le surendettement des ménages américains.

La crise financière a révélé l'injustice du système dans la mesure où, bien qu'ayant commencé aux États-Unis, elle fait davantage de dégâts à la périphérie qu'au centre — dégâts dont on n'a pas encore pris, qui plus est, toute la mesure. Les pays du centre ont garanti les dépôts bancaires chez eux, mais ceux de la périphérie ne peuvent se permettre d'aller aussi loin, de sorte que les capitaux fuient la périphérie et qu'il est difficile de renouveler les emprunts arrivant à échéance. Quant aux exportations, elles souffrent de la baisse des échanges commerciaux.

Les institutions financières internationales ont devant elles une tâche nouvelle : protéger la périphérie de la tempête qui s'est levée au centre ou, plus exactement, aux États-Unis. De la façon dont elles s'acquitteront de cette tâche dépend leur avenir. Si elles échouent, elles perdront une large part de leur légitimité, et le désordre qui résulterait de l'effondrement de certains accords internationaux multilatéraux transformerait la crise financière en dépression mondiale.

Il est nécessaire de protéger les systèmes financiers des pays de la périphérie, en particulier pour ce qui concerne les transactions internationales, et de permettre aux gouvernements de ces pays de mener des politiques budgétaires contracycliques. Le premier point nécessite des fonds importants, mobilisables à brève échéance pour des périodes relativement courtes. Le second exige des financements à plus long terme.

Lorsque les dommages collatéraux de la faillite de Lehman Brothers sur les pays de la périphérie sont devenus visibles, le FMI a instauré une nouvelle facilité à court terme, qui permet à des pays dont la situation financière est saine par ailleurs d'emprunter pour trois mois, et sans conditions, jusqu'à cinq fois leur quote-part. Mais le montant est trop faible pour être d'une grande utilité, d'autant que le recours à l'argent du FMI continue de faire l'objet d'une certaine stigmatisation. De plus, toute aide, même justifiée, aux moins pauvres des pays en développement aurait pour effet d'aggraver la situation des plus pauvres. Quant à la manière d'aider les pays de la périphérie à mener des politiques contracycliques, elle n'a pas encore fait l'objet d'une vraie réflexion.

La vérité est que le FMI ne dispose pas d'assez d'argent pour offrir à ces pays un répit véritable. Il dispose d'environ 200 milliards de dollars de fonds non engagés, soit bien moins que les besoins potentiels. Que faire, dans ces conditions ? La solution la plus simple consiste à accroître l'offre de monnaie. Le mécanisme d'émission des droits de tirage spéciaux (DTS) existe ; il suffit, pour l'activer, de 85 % des voix. Les États-Unis s'y sont fermement opposés jusqu'à présent, mais pourquoi ne finiraient-ils pas par accepter au niveau international ce qu'ils pratiquent chez eux ?

Paradoxalement, la création de DTS supplémentaires ne serait pas d'une grande utilité pour fournir des liquidités à court terme, mais elle permettrait aux pays de la périphérie de mener des politiques contracycliques. Il suffirait pour cela que les pays riches prêtent leurs droits aux pays pauvres ou, de préférence, qu'ils les leur *cèdent*. L'intérêt d'un tel schéma serait que les institutions financières internationales, conservant le contrôle du versement des fonds prêtés ou cédés, pourraient ainsi veiller à ce qu'ils soient dépensés conformément aux programmes de réduction de la pauvreté élaborés sous l'égide de la Banque mondiale. Cela bénéficierait particulièrement aux pays pauvres, qui risquent fort d'être les plus durement touchés par la récession mondiale.

Mis en œuvre à grande échelle — de l'ordre de 1 000 milliards de dollars —, un tel schéma apporterait une contribution majeure tant à la lutte contre la récession mondiale qu'à la mise en œuvre des Objectifs du millénaire pour le développement, adoptés par les Nations unies. Ce geste, apparemment désintéressé, des pays riches, servirait en fait, à long terme, leur intérêt bien compris, car il contribuerait non seulement à relancer l'économie mondiale, mais aussi à soutenir leurs marchés d'exportation.

Quant aux liquidités à court terme, pour lesquelles, nous l'avons dit, les DTS ne seront pas d'un grand secours, trois moyens existent pour en fournir aux pays de la périphérie.

En premier lieu, les pays chroniquement excédentaires pourraient contribuer à un *trust fund* dont la souplesse démultiplierait l'efficacité de la nouvelle facilité de prêt, en contournant sa limitation à cinq fois la quote-part. Le Brésil, par exemple, n'aurait le droit de lever, actuellement, que 23,4 milliards de dollars à ce titre, alors que ses réserves sont supérieures à 200 milliards de dollars. Le Japon a offert de contribuer à ce *trust fund* à hauteur de 100 milliards de dollars, mais certains autres pays régulièrement excédentaires conditionneront sans doute leur participation à l'ouverture de négociations sur la redistribution des quotes-parts. En accepter le principe pourrait aider à donner au *trust fund* la taille critique nécessaire.

Deuxièmement, les banques centrales des pays développés devraient accorder aux pays en développement des lignes de *swap* supplémentaires et, pour plus d'efficacité, accepter des actifs libellés en monnaies locales, dont le FMI garantirait la valeur.

Troisièmement, et à plus long terme, la réglementation bancaire internationale devrait faciliter les flux de crédit vers les pays de la périphérie. En attendant, il faut que les banques centrales des pays développés fassent pression sur les banques de dépôt dont elles ont la charge afin qu'elles reconduisent les lignes de crédit. Le processus pourrait être coordonné par la Banque des règlements internationaux.

Pour permettre, enfin, aux pays de la périphérie de mener des politiques contracycliques, les principaux pays développés devraient, non seulement céder leurs DTS supplémentaires, mais aussi apporter leur garantie conjointe, dans des limites définies d'un commun accord, aux obligations d'État à moyen et long terme de ces pays et encourager les accords régionaux, dès lors qu'ils s'inscrivent dans un cadre international. La Banque européenne d'investissement et la Banque européenne pour la reconstruction et le développement financeraient ainsi des travaux publics en Ukraine, en liaison avec le programme d'aide du FMI. Il faut également encourager la présence économique chinoise en Afrique et dans les autres régions productrices de matières premières, sous réserve que la Chine respecte certains standards internationaux, comme l'Initiative pour la transparence dans les industries extractives.

Quant aux pays à excédent chronique, ils doivent être incités, par l'octroi de droits de vote supplémentaires, à investir une partie de leurs réserves monétaires ou de leurs fonds souverains dans des obligations d'État à long terme des pays les moins développés. Cela pourrait se faire dans le cadre du *trust fond* évoqué plus haut.

Mais rien de tout cela n'est possible si l'on ne rouvre pas le dossier épineux de la redistribution des quotes-parts. Il est de l'intérêt bien compris des États-Unis et des pays européens de renoncer à une part de leurs droits de vote ; s'ils refusent, les nouveaux pays émergents ne trouveront aucun avantage à coopérer avec le FMI et préféreront signer des accords régionaux, voire bilatéraux, de sorte que le FMI perdra une grande part de son utilité. C'est une question qu'on ne peut éluder, et qui sera longue à résoudre. La solution la plus expédiente consisterait à échanger la création massive de DTS supplémentaires contre l'ouverture de négociations sur les quotes-parts. En s'engageant dans cette voie, le président Obama comblerait les attentes du monde entier. La principale opposition viendra sans doute de l'Allemagne, mais l'obstacle peut être surmonté grâce au leadership américain et à un large soutien international.

D'autres accords internationaux encore sont nécessaires. La réglementation bancaire doit faire l'objet d'une coordination internationale, dans le cadre d'un nouveau dispositif prudentiel « Bâle III », prenant la suite de « Bâle II » auquel la crise financière a fait perdre sa crédibilité. Il en va de même des réglementations de marché.

Les gouvernements nationaux ont besoin de coordonner leurs politiques macro-économiques afin d'éviter de trop fortes turbulences, notamment monétaires. En outre, ceux des pays de la périphérie dont le revenu est tributaire du cours des produits de base auraient le plus grand intérêt à l'existence de mécanismes de stabilisation, qui permettraient au passage d'endiguer les tendances déflationnistes à l'échelle de la planète.

Voilà, résumé de façon très succincte, ce qu'il faudrait

faire, à mon sens, pour redresser l'économie mondiale. L'ampleur des thèmes abordés donne une idée de la difficulté de la tâche. Reste à savoir si certaines au moins des idées exposées ici seront mises en pratique.

11

Mes perspectives pour l'année 2009

L'avenir de l'économie mondiale est largement suspendu au fait que le président Obama prendra ou non un ensemble de mesures cohérentes comme celles que je viens de décrire. La façon dont réagiront les Chinois, les Européens et les autres acteurs de premier plan aura également une grande importance. Si la coopération internationale est fructueuse, nous pouvons espérer remonter la pente d'ici la fin de 2009. Dans le cas contraire, nous serions condamnés à l'instabilité économique et politique et à une récession bien plus durable. Mais en tout état de cause, même avec la meilleure coopération internationale qui soit, nous risquons de subir de violentes fluctuations des marchés.

Il n'est pas possible de rétablir l'équilibre d'un seul coup. Le processus doit se dérouler en deux étapes au moins. Il faut d'abord injecter de la monnaie dans l'économie pour pallier l'effondrement du crédit ; puis, lorsque celui-ci circulera de nouveau, aspirer les liquidités hors du système presque aussi vite qu'elles y auront été injectées. Comme je l'ai dit, la seconde opération est plus délicate que la première, à la fois politiquement et techniquement, car le Congrès trouve plus confortable de distribuer de l'argent que de voter des impôts. Il est donc primordial que les plans de relance portent en priorité sur des investissements relativement productifs. Le renflouement de l'industrie automobile devrait rester l'exception, non devenir la règle.

Le problème de la « relation d'agence »

L'État jouera, dans les années qui viennent, un rôle plus important dans l'économie qu'actuellement, étant donné qu'il sera la source quasi unique de financements nouveaux et le propriétaire de fait d'une part notable du système bancaire et, par conséquent, de l'immobilier commercial. Il aura son mot à dire dans l'industrie automobile et sera fortement impliqué dans le marché de l'immobilier résidentiel, mais il est probable et souhaitable qu'il se tiendra à l'écart de la plupart des autres secteurs. Il en résultera un énorme problème d'« agence » — le problème qui surgit quand l'« agent » fait passer ses propres intérêts avant ceux de son « principal », et qui a causé, soit dit en passant, la perte du socialisme et du communisme. Dans un monde idéal, chacun contribuerait selon ses capacités et recevrait selon ses besoins ; dans la réalité, les responsables ont tendance à donner priorité à leurs propres besoins et à ceux de leurs proches. Ironie de l'histoire, ce même problème d'« agence » a joué un rôle majeur dans la débâcle du marché immobilier aux États-Unis. Lorsque les banques d'affaires ont restructuré les hypothèques dans des CDO, elles ont cru que la diversification diluerait le risque ; en fait, elles l'ont accru en dissociant les intérêts de « l'agent » (la société de crédit) de celui du « principal » (le détenteur d'hypothèques).

Le problème n'a pas de solution simple. La transparence et la responsabilité sont naturellement d'excellents principes, mais qui restent bien vagues, quand chacun sait que le diable se niche dans les détails. Il y a donc lieu de se réjouir que le nouveau gouvernement américain, à la différence de son prédécesseur, croie au service public. Le président Obama a suscité un immense enthousiasme, et l'on doit espérer qu'il saura insuffler, dans l'adversité, un esprit de service public et d'identification à l'intérêt général. Cependant, un État hypertrophié constituerait, même dans ces conditions, un grave danger pour l'avenir politique et économique du pays. J'ai le souvenir, pour ma part, de l'Italie de l'entre-deux-guerres, où le régime fasciste a fini par étatiser presque toute l'industrie lourde. L'étatisation des banques est certes préférable à un système bancaire qui ne fonctionne pas, mais elle devrait être conçue comme temporaire, car le problème de la « relation d'agence » ne peut que s'aggraver avec le temps.

La recapitalisation du système bancaire et la réorganisation du financement de l'immobilier doivent se fonder autant que possible sur des règles. Les autorités monétaires — le Trésor et la Réserve fédérale en particulier — ont une longue tradition de secret et d'arbitraire en temps de crise. Sans doute est-ce un mal en partie nécessaire si l'on veut éviter que la crise échappe à tout contrôle ; c'est pourtant ce qui s'est produit sous l'autorité de Henry Paulson, dont la politique inconséquente et despotique n'a fait qu'aggraver les choses. Décider au cas par cas, c'est être vulnérable à l'influence des politiques et des lobbies. L'administration Obama devra marquer la rupture avec la pratique antérieure en engageant des réformes systémiques.

Le dollar

L'effort d'injection de liquidités dans l'économie se heurtera à des difficultés de deux ordres : les taux de change et les taux d'intérêt. Le dollar a été sous pression au début de la crise, mais il s'est nettement repris lorsqu'elle s'est aggravée. Comme je l'ai compris trop tard, la force de la devise américaine tenait, dans les derniers mois de l'année 2008, non pas à une préférence plus marquée pour celle-ci, mais à une difficulté accrue d'en emprunter. Les banques européennes et internationales avaient acquis une grande quantité d'actifs libellés en dollars, et pris l'habitude de se refinancer sur le marché interbancaire ; celui-ci étant asséché, elles se sont trouvées forcées d'acheter du dollar. Quant aux pays de la périphérie, ils avaient souscrit beaucoup d'obligations libellées en dollars, qu'ils ont dû rembourser à échéance lorsqu'ils ne pouvaient pas proroger celle-ci.

La Russie et les pays d'Europe de l'Est étaient davantage liés à l'euro, mais lorsque le marché russe s'est effondré, le dollar s'en est trouvé à nouveau stimulé, car la banque centrale de Russie avait acheté trop d'euros et a dû les vendre pour défendre le rouble.

La tendance s'est brièvement inversée à la fin de 2008, lorsque la Réserve fédérale a ramené à près de zéro ses taux d'intérêt et s'est engagée dans une politique dite d'assouplissement quantitatif. L'euro a alors connu une vive reprise, mais qui n'a été que de courte durée, du fait des difficultés internes à la zone euro. Les émeutes en Grèce ont mis en évidence les graves difficultés des pays du sud du continent – Espagne, Italie et Grèce – et de l'Irlande. Les taux des primes des CDS de ces pays ont grimpé, et les écarts de taux entre leurs obligations d'État et celles de l'Allemagne se sont élargis de façon alarmante. L'euro a de nouveau baissé dans les premiers jours de 2009, perdant même du terrain par rapport à la livre sterling.

En outre, le fait que l'Allemagne et la Banque centrale européenne aient de la crise une lecture différente de celle du reste du monde risque de provoquer d'amples fluctuations des taux de change et de faire obstacle à la reprise. La Banque centrale européenne suit des lignes directrices asymétriques : ses statuts lui font obligation de veiller avant tout, non au plein emploi, mais à la stabilité des prix. Quant à l'Allemagne, elle vit dans le souvenir de la République de Weimar et de l'inflation galopante qui a préludé à la montée du nazisme. Ce double frein à l'irresponsabilité budgétaire et à la création illimitée de monnaie devrait favoriser l'euro comme monnaie de réserve, mais les tensions internes à l'Europe agissent dans la direction opposée.

L'absence de mécanisme européen de protection du système bancaire signifie que chaque pays agit de son côté, ce qui nourrit le doute quant à sa capacité à le faire. Le crédit de l'Irlande est-il suffisant ? La Banque centrale européenne peut-elle accepter en garantie, au-delà d'une certaine limite, la dette publique de la Grèce ? Les fondations du traité de Maastricht tremblent, et même le Royaume-Uni et la Suisse ont bien du mal à protéger leurs banques, surdimensionnées. Chaque régulateur national, en cherchant à protéger ses propres établissements, risque de faire du tort aux systèmes bancaires des autres pays. Les banques autrichiennes et italiennes, par exemple, sont lourdement exposées en Europe de l'Est. La Royal Bank of Scotland, dont le capital est désormais détenu en majorité par le gouvernement du Royaume-Uni, fait l'essentiel de son chiffre d'affaires à l'étranger, et une part importante de l'immobilier britannique est financé par des banques étrangères. Il faudra bien que les différentes autorités nationales finissent par se protéger mutuellement, mais seul un danger commun les y contraindra.

Les détenteurs de richesses peuvent certes rechercher la sécurité qu'offrent le yen et l'or, mais ils risquent, ce faisant, de se heurter à la résistance des autorités – plus rapidement dans le cas du yen que dans celui de l'or. Et la lutte sera sans merci entre ceux qui recherchent la sécurité et ceux qui ont besoin d'utiliser leurs réserves pour sauver leurs entreprises. Avec de telles forces contradictoires en présence, nous pouvons nous attendre à d'amples fluctuations monétaires.

Les taux d'intérêt

Pour sortir du piège de la déflation, il faut, comme je l'ai dit, commencer par créer de l'inflation et la réduire ensuite. C'est une opération délicate, dont la réussite est loin d'être assurée. Dès que l'activité économique aux États-Unis reprendra, les taux des obligations du Trésor remonteront ; il est même probable, en fait, que la courbe actuarielle s'infléchira de façon anticipée. Or, une hausse des taux d'intérêt à long terme risque d'étouffer la reprise. La perspective d'un emballement de l'offre de monnaie qui nourrirait l'inflation est donc susceptible d'aboutir à la stagflation – qui serait, à tout prendre, préférable à une dépression prolongée.

Il est improbable, mais pas impossible, que l'économie américaine croisse à un rythme annuel de 3 % ou plus dans la décennie qui vient. Les États-Unis connaissent depuis longtemps un déficit chronique de leurs paiements courants, qui a connu un pic supérieur à 6 % du PIB. Cette situation ne pourra plus perdurer, mais elle laisse derrière elle un lourd endettement extérieur qui sera financé par les déficits budgétaires des prochaines années. La part de la consommation dans le PIB est appelée à baisser, de même que celle des services financiers, secteur qui a connu la croissance la plus rapide au cours des dernières années. De plus, avec l'arrivée à l'âge de la retraite de la génération du baby-boom, les tendances démographiques sont devenues défavorables. Tout cela aura un impact économique négatif.

Que peut-on espérer mettre dans la colonne « conséquences positives » ? Une répartition plus équitable des revenus, tant sur le plan intérieur que sur le plan international. Une amélioration des services sociaux et éducatifs. Une politique énergétique dynamique, investissant massivement dans les énergies alternatives et les économies d'énergie. Une réduction des dépenses militaires. Une croissance plus soutenue des pays en développement, améliorant les débouchés à l'exportation et les possibilités d'investissement. Mais la croissance intérieure des États-Unis, même avec la meilleure politique qui soit, restera sans doute à la traîne de celle de l'économie mondiale. Si je devais choisir entre les différentes formes que peut prendre une courbe de récession, j'opterais pour le symbole inversé de la racine carrée, et je situerais le point le plus bas vers la fin de l'année 2009.

La Chine

La Chine est le plus important des pays en développement. Principal bénéficiaire de la mondialisation, elle a d'autant plus souffert de la baisse de ses exportations, baisse qui s'est également étendue au marché intérieur. Mais son système financier est resté largement épargné par le marasme économique général, et reste assis sur les réserves monétaires les plus abondantes de la planète.

Elle a donc à sa disposition un large éventail d'options, que la plupart des autres pays n'ont pas.

Ce que la Chine choisira de faire est presque aussi crucial pour l'avenir de l'économie mondiale que ce que fera le président Obama, et la relation bilatérale entre la Chine et les États-Unis est celle qui revêtira le plus d'importance. La Chine a le plus grand intérêt à ce que l'économie mondiale se porte bien. C'est une certitude sur laquelle le président Obama peut tabler pour reconstruire le système financier international, mais il faudra, d'un côté comme de l'autre, beaucoup d'adresse et de sens de l'anticipation.

L'émergence d'une nouvelle puissance mondiale est un processus très périlleux, qui a conduit par deux fois à une guerre mondiale, à l'issue de laquelle la puissance émergente a été vaincue. Le passage de témoin du Royaume-Uni aux États-Unis, qui s'est accompli pacifiquement, constitue une exception, due notamment au fait que les deux pays parlent la même langue. Les États-Unis et la Chine, par contre, ont des langues et des cultures extrêmement différentes. La Chine a longtemps été considérée avec crainte et suspicion par l'Occident. Elle doit s'efforcer de se faire aimer si elle veut être acceptée comme un des leaders du monde. Sa doctrine du « développement harmonieux » plaide en sa faveur, mais celle qu'elle professe et applique vis-à-vis de Taiwan et du Tibet va dans le sens contraire. À cause de la politique de l'administration Bush et de l'éclatement de la superbulle, la montée en puissance de la Chine a été trop forte et trop rapide. Il faut que les deux pays travaillent à un partenariat constructif, les États-Unis traitant la Chine en égale et la Chine acceptant que se perpétue le leadership américain. Ce ne sera facile pour aucune des deux parties.

La Chine a beaucoup à perdre. Elle n'est pas une démocratie, et il n'y existe pas de procédure établie pour une alternance pacifique. Si elle ne parvenait pas à maintenir un taux de croissance satisfaisant — généralement défini comme étant de 8 % par an —, il pourrait en résulter une période de troubles politiques, qui serait désastreuse pour le reste du monde. Heureusement, elle a su se doter de subtils mécanismes de concertation qui, sans aller jusqu'à mériter le qualificatif de « démocratiques », permettent néanmoins aux différents groupes d'intérêts concernés de se faire entendre. Le principal défaut de ce mode de fabrication du consensus est qu'il est lent et laborieux ; il existe donc un réel danger que les dirigeants chinois n'agissent pas assez vite pour contrecarrer la récession mondiale. Sur ce terrain également, une initiative forte du nouveau gouvernement américain pourrait avoir un effet bénéfique. Je prévois, pour ma part, que la Chine connaîtra une récession sévère mais brève, touchera le fond vers le milieu de 2009 et rebondira ensuite assez vigoureusement pour que sa croissance approche 8 % sur l'ensemble de l'année.

Le subcontinent indien

L'Inde est moins dépendante de la conjoncture mondiale que ne l'est la Chine, et devrait donc avoir moins de difficulté à conserver sa dynamique ascendante. La disparition des tensions inflationnistes devrait compenser partiellement la baisse des exportations. La Bourse a été plus durement touchée que dans la plupart des autres pays, mais le système financier, largement contrôlé par l'État, a été moins affecté. Les Indiens partis travailler dans les émirats du Golfe enverront moins d'argent à leurs familles, et la vague d'externalisation d'activités dont le pays bénéficie est appelé à faiblir, mais on peut espérer que l'investissement dans les infrastructures, pour lesquelles l'Inde a un retard important, se maintiendra. En résumé, les prévisions macro-économiques sont plus favorables à l'Inde qu'à la plupart des autres pays du monde. Il existe, en revanche, de fortes incertitudes politiques, liées à la situation du Pakistan.

Le Pakistan est un État en pleine déliquescence. Certains éléments des forces armées et des services de renseignement sont plus que compromis avec les mouvements terroristes, et il existe un réel danger qu'ils prennent le contrôle du pays. Les attentats commis à Bombay le 26 novembre 2008 ont été brillamment planifiés, minutés et exécutés. Leurs commanditaires ne sont pas forcément les mêmes que ceux qui sont à l'origine du 11 septembre 2001, mais l'inspiration est analogue. Le but était de dresser les deux pays l'un contre l'autre à la veille des élections législatives en Inde, afin d'asseoir durablement l'influence des islamistes au Pakistan et, si possible, de leur faire prendre le contrôle de l'État. La situation est donc extrêmement délicate, et constitue le principal défi diplomatique et militaire auquel soit confrontée l'administration Obama. L'administration Bush avait laissé s'exacerber les oppositions entre les différentes parties : Pakistan contre Inde et Afghanistan, militaires contre pouvoir civil au Pakistan même, Nawaz Sharif contre Asif Ali Zardari au sein dudit pouvoir civil — en attendant le moment où les tribus, armées par les militaires contre les Talibans pakistanais, se battront entre elles. La tâche du nouveau gouvernement américain sera d'amener les différentes factions à combattre ensemble leur ennemi commun : le terrorisme islamiste à l'intérieur du pays.

Le problème du Pakistan est étroitement lié à celui de l'Afghanistan. Dans ce dernier pays, les troupes américaines ont d'abord été accueillies en libératrices, et la transition politique a été bien préparée grâce à la convocation de la *Loya Jirga* (Grande Assemblée) et à l'adoption par celle-ci d'une nouvelle constitution. Mais l'Otan s'est trouvée engagée sans véritable plan de bataille et, au bout de huit ans, les forces étrangères ne sont plus les bienvenues. Il faut parvenir à un retrait ordonné, mais c'est impossible tant que les Talibans et Al-Qaeda, qui ne peuvent être vaincus sans le soutien actif des populations locales, continuent de gagner du terrain. Tel est le dilemme auquel est confronté le président Obama. Les trois principaux problèmes sont la lutte contre la drogue, qui dresse la population autochtone contre les puissances occupantes ; le fait que les zones tribales du Pakistan constituent un sanctuaire pour les Talibans ; la perte de légitimité et de popularité du régime de Hamid Karzaï. La situation n'est pas forcément sans issue, mais il faudra, pour en trouver une, énormément d'habileté et de persévérance.

Les pays producteurs de pétrole

Les pays producteurs de pétrole connaissent actuellement un brutal revers de fortune. Leurs excédents se sont mués en déficits, leurs fonds souverains et leurs réserves de change ont fondu dans des proportions importantes. Les pays du Golfe sont les plus touchés, car les entreprises du secteur privé, les banques en particulier, y sont fortement surdimensionnées. La bulle immobilière de Dubai est l'une des plus spectaculaires qui soient, et l'émirat ne trouvera son salut que dans les poches sans fond de son voisin Abu Dhabi.

Mais le malheur des uns fait parfois le bonheur des autres. Certains des principaux pays producteurs, comme l'Iran, le Venezuela et la Russie, qui sont des ennemis de l'ordre mondial actuel, voient leurs ailes rognées par la baisse des cours : comment exporter la révolution bolivarienne avec un pétrole à 40 dollars le baril ? Le fait que l'Iran ait moins d'argent pour soutenir des mouvements politiques ou terroristes dans les pays voisins produit déjà des effets bénéfiques. L'Irak semble connaître une certaine stabilisation politique et une baisse de l'insécurité, la Syrie paraît moins fermée à la négociation. Il y a de bonnes chances pour que le président iranien Mahmoud Ahmadinejad ne soit pas réélu en juin 2009[1] et qu'une orientation plus raisonnable finisse par s'imposer, laissant entrevoir la reprise d'un dialogue.

La situation avait évolué légèrement au Proche-Orient, donnant quelque espoir d'un éventuel règlement du conflit israélo-palestinien, avant que la posture militante caractéristique de l'ère Bush jette ses derniers feux avec l'incursion israélienne à Gaza à partir du 27 décembre 2008, et que l'embellie que l'on voyait poindre fasse place à une aggravation soudaine. Tandis qu'Israël infligeait des dommages militaires au Hamas, les pertes civiles frappaient les opinions publiques, laissant planer le spectre de troubles en Égypte et dans d'autres pays musulmans. Les premiers pas de Barack Obama, en particulier son interview à la chaîne Al-Arabiya, et la nomination de George Mitchell comme émissaire spécial au Proche-Orient, montrent sans équivoque qu'il entend suivre une approche différente.

La Russie, à la différence du Venezuela et de l'Iran, risque de devenir plus agressive sous l'effet de la baisse des prix du pétrole. Sous la présidence de Vladimir Poutine, le nationalisme a remplacé le communisme comme idéologie officielle, et le Kremlin table sur les ressources naturelles du pays pour restaurer le statut de grande puissance de la Russie, pour s'enrichir, mais aussi pour

---

1. Le président Ahmadinejad a été proclamé réélu dès le premier tour, mais la régularité du dépouillement est fortement contestée par l'opposition iranienne et par les observateurs internationaux *(N.d.T.)*.

reprendre le contrôle des ressources naturelles des anciennes républiques soviétiques en enrichissant leurs dirigeants. Ces différents objectifs, qui se confortent mutuellement, caractérisent le nouvel ordre russe — une pseudo-démocratie assise sur la rente pétrolière.

Le pouvoir économique, sous le régime Poutine, se trouve concentré dans les mains de deux groupes : ceux qui ont acquis la propriété des entreprises et ceux qui se paient sur leurs *cash flows*. Le premier est généralement plus raffiné et plus tourné vers l'Ouest, où il met en sécurité son argent et ses enfants ; le second recourt plus directement à l'arbitraire d'État. Le premier a été étrillé par la crise financière ; le second en est sorti relativement indemne. La crise a eu pour effet global de renforcer la tendance à l'arbitraire plutôt que l'État de droit. C'est ainsi qu'une part importante des réserves officielles de change a servi à renflouer et à racheter les actifs du premier groupe.

À mesure que les perspectives économiques s'assombriront, le régime Poutine, incapable de satisfaire les aspirations économiques de la population, devra recourir davantage à l'arbitraire d'État. Les maîtres du Kremlin ne sont plus les prudents bureaucrates de l'ère soviétique, mais des pirates qui sont parvenus là où ils sont parce qu'ils ont choisi de prendre des risques. Tout cela peut déboucher sur des aventures militaires à l'extérieur et sur un regain de répression à l'intérieur. Récemment, deux opposants politiques en vue ont été assassinés, et un projet de loi a été déposé, qui assimile à de la trahison la collaboration avec une ONG étrangère.

Le problème russe de l'Europe

J'ai sur la Russie une opinion bien arrêtée, du fait de mon engagement personnel de longue date. Lorsque, à la fin de 1986, Mikhaïl Gorbatchev a téléphoné à Andreï Sakharov, assigné à résidence à Gorki, pour lui demander de rentrer à Moscou « reprendre ses activités patriotiques », j'ai compris que l'Union soviétique était prête à changer. Je m'y suis rendu au printemps 1987 et j'y ai créé une fondation qui a beaucoup fait pour la démocratie et la société ouverte. Mes efforts ont été très appréciés et chaleureusement soutenus, en particulier par Edouard Chevardnadze, alors en charge du ministère des Affaires étrangères, qui était à cette époque le secteur de la bureaucratie soviétique le plus favorable à la *perestroïka*. En dépit de ma faible notoriété, j'ai été invité à constituer une *task force* internationale pour préparer le développement d'un « secteur ouvert » au sein de l'économie. Le projet n'a pas abouti parce que l'économie, planifiée et centralisée, était déjà trop mal en point pour s'accommoder ne serait-ce que de l'embryon d'une économie de marché.

Au printemps 1989, lors d'un colloque Est-Ouest à Potsdam, qui faisait encore partie de la RDA, j'ai appelé de mes vœux un plan Marshall, financé principalement par les pays européens, en faveur de l'Union soviétique. Ma suggestion a été accueillie par des ricanements, parmi lesquels ceux d'un membre subalterne du gouvernement de Mme Thatcher. En octobre 1990, j'ai conseillé une délégation de jeunes dirigeants du parti communiste soviétique, conduite par Grigory Iavlinsky, lors de la réunion annuelle de la Banque mondiale et du FMI à Washington. Ils proposaient un plan (dit plan Chataline) qui consistait ni plus ni moins qu'à dissoudre, en l'espace de 500 jours, l'Union soviétique pour la remplacer par une union économique sur le modèle du Marché commun européen. Ce plan n'a reçu aucun soutien international, et a été désavoué par Gorbatchev une fois la délégation rentrée à Moscou[1].

L'Union soviétique s'est finalement disloquée dans le plus grand désordre. Les puissances occidentales ont alors choisi de déléguer au FMI lui-même la tâche d'aider les États successeurs à adhérer au Fonds, car elles ne voulaient pas que le fardeau pèse sur leurs propres budgets. En réalité, le FMI n'était pas le plus qualifié pour cette tâche. Il s'est contenté de faire signer une lettre d'intention aux gouvernements qui demandaient son aide, et s'est ensuite reposé sur eux pour mettre en œuvre les programmes. Mais ni la Russie ni aucun des États successeurs n'avait à sa tête de gouvernement capable d'exécuter un programme du FMI. Les programmes ont donc échoué les uns après les autres, et la Russie a traversé une période de délabrement politique, économique, social et moral.

Ma fondation, qui était alors présente dans tout l'an-

---

1. Pour un récit plus détaillé, voir mon livre *Opening the Soviet System* (London, Weidenfeld & Nicolson, 1990), ou *Underwriting Democracy : Encouraging Free Enterprise and Democratic Reform among the Soviets in Eastern Europe* (New York, PublicAffairs, 1991/2004 ; *Sauver la démocratie à l'Est*, traduit par Évelyne Châtelain et Serge Quadruppani, Paris, Albin Michel, 1993).

cien empire soviétique, s'est démenée dans les domaines de la culture, de l'éducation, des médias, pour promouvoir la société civile et l'État de droit, mais les résultats ont été insignifiants par rapport à l'ampleur des problèmes. Le domaine de la recherche constitue une exception : nous avons pu aider financièrement plus de 30 000 scientifiques de premier plan. Si l'Ouest s'était engagé, avec les moyens qui étaient les siens, dans un programme d'aide similaire, le geste aurait été vivement apprécié en Russie, et l'histoire aurait probablement suivi un cours différent.

Lorsque Vladimir Poutine a succédé à Boris Eltsine, il s'est employé à faire surgir du chaos un nouvel ordre, mais qui ressemblait par trop à l'ancien. Le rêve de voir naître une démocratie de type occidental est resté lettre morte. Les puissances occidentales n'ont pas su donner corps aux espoirs exagérés que les réformateurs russes fondaient sur elles. L'Ouest n'a consenti presque aucun effort ni aucun sacrifice pour implanter en Russie les valeurs occidentales ; il s'est contenté de profiter de sa faiblesse pour étendre à l'Est sa sphère d'influence. Ce fait historique, largement occulté à l'Ouest, a laissé une empreinte indélébile sur les esprits en Russie, et rien ne pourra y changer quoi que ce soit. La Russie, classe dirigeante et opinion publique confondues, éprouve un profond ressentiment vis-à-vis de l'Ouest pour la façon dont elle estime, à tort ou à raison, avoir été traitée par lui durant cette période troublée, et ce ressentiment est particulièrement vif chez ceux qui aspiraient à une démocratie de style occidental.

Le jeu de puissance géopolitique du Kremlin a conduit, en août 2008, à un conflit armé avec la Géorgie, conflit dont les racines remontent à la « Révolution des roses » de 2003 — qui a préludé à la « Révolution orange » en Ukraine. Le succès de ces rebellions contre des régimes obtus et corrompus a rendu le Kremlin très nerveux, car il se sentait ouvertement défié. La Géorgie contrariait, qui plus est, l'ambition de la Russie de réaffirmer son contrôle sur l'approvisionnement de l'Europe en pétrole et en gaz. Par-dessus le marché, Vladimir Poutine et le président géorgien Mikheil Saakachvili ont développé une grande animosité personnelle l'un envers l'autre.

Anticipant l'agression russe, Saakachvili a renforcé les forces armées de son pays. L'utilisation de caisses noires a alimenté la corruption, laquelle a conduit à d'autres excès, qui ont fait perdre au régime son aura démocratique et sa réputation de société ouverte. Mais lorsque la Russie, à l'hiver 2006, a coupé préventivement l'approvisionnement en gaz de l'Ukraine et de la Géorgie — et même en électricité dans le cas de cette dernière —, Saakachvili a su réagir plus efficacement que son homologue ukrainien. Il est ainsi devenu la coqueluche de l'administration Bush, qui l'a salué comme un champion de la démocratie sans lui tenir rigueur de ses manquements à l'État de droit, et a même activement soutenu, au contraire, la candidature de la Géorgie à l'Otan.

Le succès est monté à la tête de Saakachvili. N'écoutant aucun des conseils de prudence qui lui étaient donnés, il a réagi en août 2008 à la provocation russe en Ossétie du Sud en lançant une attaque militaire, mais les troupes russes ont écrasé l'armée géorgienne sous la force du nombre. L'enchaînement précis des faits reste entouré d'un certain mystère, et il serait bon qu'une commission internationale fasse la lumière sur cette affaire. Il semble toutefois, dans l'état actuel des connaissances, que la Russie ait eu quelque excuse pour recourir à la force, même si les « citoyens russes » au secours desquels elle prétend être venue étaient en réalité des Ossètes n'ayant obtenu que récemment la nationalité russe. La Russie a doublé sa campagne militaire d'une campagne de propagande qui lui a permis de diviser l'opinion publique européenne.

L'armistice négocié par Nicolas Sarkozy, président en exercice de l'Union européenne, a entériné la domination militaire de la Russie. Il a permis aux « pacificateurs » russes de pousser leurs pions en territoire géorgien, où ils ont infligé des dommages sérieux aux capacités militaires du pays. La présence militaire russe dans une Ossétie du Sud agrandie menace désormais directement l'oléoduc reliant Bakou au port turc de Ceyhan et rend nettement moins sûr l'acheminement des hydrocarbures d'Asie centrale à travers la Géorgie. L'équilibre géopolitique de la région penche donc en faveur de la Russie, qui a aujourd'hui plus de pouvoir et d'influence sur l'Europe qu'elle n'en a jamais eu durant la guerre froide.

Le fait que Poutine ait réussi à la fois à leurrer l'Occident et à réaffirmer la puissance géopolitique de la Russie l'a rendu très populaire dans son pays. Mais, si l'invasion de la Géorgie a été un succès politique et militaire, les conséquences financières ont été aussi négatives qu'imprévues. La Bourse s'est effondrée et le rouble s'est déprécié, avec des effets d'autant plus désastreux que cela se passait à un moment de tourmente financière mondiale. La faiblesse congénitale du régime Poutine est apparue en pleine lumière : l'arbitraire d'État alimente la défiance des milieux d'affaires, qui préfèrent laisser leur argent à l'étranger et recourir à l'emprunt pour financer leurs activités. Les appels de marge ont provoqué des faillites en chaîne, qui ont bouleversé le paysage économique. La production industrielle est en chute libre et la faiblesse du rouble handicape le niveau de vie, la consommation étant largement tributaire des importations. L'économie se détériorant, le régime Poutine risque de se montrer de plus en plus agressif vis-à-vis de l'Europe et répressif à l'intérieur.

Comment l'Europe doit-elle réagir à l'affirmation, sur son flanc oriental, d'une Russie hostile ? Chaque pays a adopté une attitude différente, sous l'influence de son expérience historique et de ses intérêts économiques. Il est pourtant essentiel que l'Union européenne se dote, à l'égard de la Russie, d'une politique commune, qui concilie ces attitudes et ces intérêts divergents. L'Europe ne peut se permettre de rester inerte face à l'agressivité géopolitique de la Russie, et elle a besoin de s'unir pour résister avec une chance de succès. Pour autant, son attitude ne saurait être entièrement dictée par la géopolitique : si tel était le cas, l'intérêt commun ne serait pas assez fort pour l'emporter sur les intérêts nationaux, et la Russie pourrait continuer de diviser pour régner, car elle est, géopolitiquement parlant, en position de force. La supériorité de l'Europe réside dans ses valeurs, qui sont celles d'une société ouverte, démocratique, pacifique, prospère et régie par l'État de droit. Ces valeurs exercent un fort attrait sur les citoyens – et même sur les dirigeants – de l'ancienne Union soviétique, même si l'Ouest, dans le passé, n'a pas toujours mis ses actes en conformité avec elles, ce qui explique que la sympathie et l'admiration pour les valeurs européennes se mêlent de déception et de ressentiment.

La Russie demeure néanmoins sensible aux charmes de l'Europe. Elle a aspiré, tout au long de son histoire, à en faire partie, et le régime Poutine avoue lui-même qu'il ne peut se permettre de revenir à l'isolement qui était celui de l'Union soviétique. Sa position de force géopolitique vis-à-vis de l'Europe cache de graves faiblesses dans d'autres domaines : un système politique autoritaire qui étouffe l'esprit d'entreprise et l'innovation, une absence d'État de droit, une préférence pour le racket et la rente plutôt que pour la production. Il en résulte que le progrès économique n'a pas suivi le rythme de l'accumulation des réserves de pétrole, et les déficiences sont devenues plus visibles encore à mesure que le prix du pétrole baissait.

Une autre grande faiblesse de la Russie est sa démographie. Le pays s'étend sur 17 millions de kilomètres carrés, mais ne compte que 140 millions d'habitants, soit 5 millions de moins qu'il y a dix ans et sans doute 5 à 10 millions de plus que dans dix ans. De plus, une part croissante de la population est constituée de minorités musulmanes, dont les taux de natalité sont supérieurs à ceux de la population slave. La Sibérie, riche en ressources mais faiblement peuplée, est limitrophe d'une Chine pauvre en ressources, mais pléthorique et expansionniste. Si les républiques d'Asie centrale sont coupées de l'Ouest, elles sont susceptibles de se tourner vers la Chine pour ne pas être totalement dépendantes de la Russie. À long terme, les leurres employés par Poutine vis-à-vis de l'Ouest peuvent se révéler aussi autodestructeurs que ceux employés par Saakachvili envers la Russie. Mais, à court terme, il existe un danger réel que la Russie veuille accomplir son désir séculaire d'Europe en cherchant à en devenir l'entité dominante.

L'Union européenne doit, dans ces conditions, suivre une stratégie duale. Il lui faut, certes, se protéger de la menace géopolitique que constitue une Russie redevenue sûre d'elle-même et aventureuse. Mais il lui faut aussi s'efforcer de remplacer le règne de la force par celui du droit, la géopolitique par la quête de la démocratie, de la société ouverte et de la coopération internationale. Seule une approche duale, permettant à chaque État membre de trouver sa place, peut fonder une politique commune, tandis qu'une approche purement géopolitique favoriserait les opportunismes et les défections.

La neutralisation de l'avantage géopolitique dont jouit la Russie passe par l'élaboration d'une politique énergétique commune, avec un réseau de distribution intégré et une autorité de régulation unique ayant préséance sur les régulateurs nationaux. La Russie serait ainsi privée de la possibilité de jouer les pays les uns contre les autres, car tout avantage accordé à un distributeur national le serait automatiquement aux clients des autres pays. Les entreprises énergétiques commencent à en prendre conscience et à être moins réticentes à l'idée d'une politique énergétique européenne. Cela contribuerait, en outre, à combattre le changement climatique, autre objectif partagé.

L'autre élément de cette politique duale — la promotion de l'État de droit, de la coopération internationale et des principes de la société ouverte — doit être recherché de façon indirecte, en réformant le système financier international et en accordant une attention particulière à ce que la Russie appelle « l'étranger proche ». L'Ukraine, en particulier, est dans une situation périlleuse ; y financer de grands travaux qui créeraient des emplois dans l'est du pays, où la sidérurgie est en perdition, pourrait changer les choses, à la fois économiquement et politiquement. Il faut également aider la Géorgie à se remettre des dégâts infligés par l'invasion russe, mais cette aide devrait être subordonnée au respect par le régime Saakachvili des principes de la société ouverte. Quant à la Russie, il n'est pas possible de l'aider directement car l'arbitraire d'État y est trop présent, mais il est probable qu'elle ne voudra pas être tenue à l'écart si elle constate que la coopération internationale progresse, en particulier avec la Chine.

Le soutien aux anciennes républiques soviétiques s'inscrirait complètement dans la politique duale que l'Europe doit mener à l'égard de la Russie. Laisser celle-ci les satelliser du seul fait de sa supériorité militaire serait contraire aux valeurs de la société ouverte. Et l'Europe a un intérêt géopolitique à maintenir ces pays ouverts en tant que sources d'approvisionnement énergétique.

Les problèmes internes de l'Europe

La crise financière et ses lendemains seront, pour les institutions de l'Union européenne, une période test et, il faut l'espérer, une période de progrès. C'est particulièrement vrai pour ses institutions financières, relativement jeunes et encore inachevées. Il existe une monnaie commune, une Banque centrale européenne, mais toujours pas de politique budgétaire commune ni de Trésor commun. Cette lacune est devenue patente au lendemain de la faillite de Lehman Brothers, lorsque s'est trouvée ébranlée la confiance dans le système bancaire tout entier. Les dirigeants européens, Gordon Brown en particulier, ont compris l'urgence, mais le cadre institutionnel pour la traiter faisait défaut. Les ministres des Finances européens ont tenu le dimanche 12 octobre à Paris, parallèlement à l'assemblée générale annuelle du FMI, une réunion d'urgence au cours de laquelle ils ont décidé de garantir l'intégrité de leurs systèmes financiers — à ceci près qu'ils ont dû convenir, après un débat animé qui a vu l'Allemagne s'opposer à une solution intégrée, qu'il revenait à chaque pays de garantir son propre système. Cette première initiative, bien qu'insuffisante, a fonctionné un temps, car on pensait généralement que, si la situation exigeait davantage — si, par exemple, l'Irlande ou la Suisse rencontrait des difficultés —, de nouvelles mesures seraient prises. Effet collatéral inattendu, les marchés des changes et les marchés obligataires des nouveaux pays membres n'ayant pas encore rejoint l'euro — la Hongrie en particulier — ont subi de fortes tensions, et ont dû être sauvés grâce à un programme du FMI et à des lignes de *swap* de la Banque centrale européenne et de la Banque d'Angleterre.

Ces péripéties ont montré tout l'intérêt que procure l'appartenance à l'euro. La Grèce souffre moins que le Danemark, bien que sa situation soit autrement plus grave. Une majorité d'Européens considère désormais que l'euro est appelé à prendre le pas sur le dollar comme monnaie de réserve internationale. Mais, depuis le début de 2009, les insuffisances des arrangements financiers européens apparaissent de plus en plus criantes. Le fait que l'Allemagne et la Banque centrale européenne aient adopté une posture radicalement différente de celle du reste du monde est source de dissensions politiques au sein de l'Europe. La zone euro elle-même est déstabilisée par la différence écrasante entre la situation économique et financière de l'Allemagne, d'un côté, et celle des pays du sud du continent et de l'Irlande, de l'autre. Plusieurs de ces derniers pays ont été dégradés par les agences de notation, et les écarts de rémunération entre obligations d'État se sont aggravés de façon alarmante.

Le fait que la régulation bancaire relève d'autorités

nationales et non pas européennes risque de produire un effet « dominos ». Le régulateur autrichien ou italien, par exemple, pourrait inciter les banques dont il a la charge à réduire ses prêts aux pays d'Europe de l'Est, créant à ces derniers les pires difficultés. Il faudrait que la régulation transcende les intérêts nationaux, mais la nécessaire volonté politique ne peut naître que d'une crise. Or, cette crise est précisément en train de couver. L'issue est incertaine, mais on peut s'attendre, compte tenu des bienfaits avérés d'une monnaie commune, à ce que l'euro s'affirme et à ce que ses institutions soient renforcées. La Banque centrale européenne finira sans doute par disposer de pouvoirs de régulation sur les systèmes bancaires des États et d'un plus grand soutien de leurs Trésors publics.

L'administration Bush s'était distinguée en essayant d'opposer la « vieille Europe » et la « nouvelle Europe ». Il faut espérer que l'administration Obama adoptera une attitude plus constructive. Le monde a grand besoin d'une Europe plus unie, à la fois politiquement et financièrement.

Les pays en développement

Quelques pays, comme le Brésil ou le Chili, sont assez bien placés pour mener des politiques contracycliques autonomes, en se contentant d'une aide légère du FMI. Mais le sort de la plupart des autres pays en développement est suspendu à d'éventuelles initiatives du type de celles que j'ai exposées au chapitre précédent. En l'absence de décision internationale audacieuse, leur avenir serait très sombre. Des émeutes de la faim ont eu lieu au Pakistan, en Égypte, au Maroc, en Haïti. L'Afrique du Sud et la Turquie ont connu des coupures d'électricité à répétition. Le Mexique est confronté à un grave problème d'insécurité dû au trafic de drogue. À mesure que la situation économique se détériore, les risques de troubles civils s'accroissent.

L'effondrement de la confiance dans le système financier mondial a un effet plus dévastateur encore sur les pays de la périphérie que sur ceux du centre. Des lignes de crédit sont supprimées, des prêts arrivés à échéance ne peuvent être renouvelés, le financement du commerce se trouve en panne sèche. Il est vital que les dirigeants des pays développés comprennent qu'il en va de leur propre intérêt de venir en aide aux pays en développement. Le grand avantage d'une cession de DTS par les pays riches est que cela ne leur coûterait rien : tout ce qu'ils ont à faire est de voter pour la création de DTS supplémentaires et de les transférer à moins riches qu'eux. J'espère qu'ils se montreront à la hauteur de l'enjeu.

12

L'avenir du nouveau paradigme

Nous avons vécu, depuis la première édition de ce livre, un moment historique. Une structure si puissante, si envahissante que nous tenions son existence pour acquise, je veux parler du système financier mondial, s'est littéralement effondrée sous nos yeux. Le choc a été rude, surtout pour ceux qui, comme la plupart des gens aux États-Unis, n'avaient rien vécu de comparable auparavant. J'étais, pour ma part, légèrement mieux préparé, pour avoir eu le douteux privilège, dans ma jeunesse, de vivre en tant que juif l'occupation nazie de Budapest, ce qui m'a conduit à développer un cadre conceptuel qui m'a été d'une grande utilité pour comprendre ce type d'événement. Ce cadre dépasse d'ailleurs largement la question des marchés financiers : il a trait à la relation réflexive, à double sens, qui existe entre la pensée des acteurs et la situation dont ils sont partie prenante — mais les marchés financiers fournissent un excellent laboratoire pour étudier le sujet et tester mes théories. En fait, si j'ai écrit ce livre, c'est parce que la crise financière en cours m'offrait une excellente occasion de démontrer la validité et la pertinence de mon cadre conceptuel, dont le point central est que les idées fausses pèsent très lourdement sur le cours de l'histoire. Il est difficile d'en trouver une démonstration plus convaincante que le krach de 2008.

Certains chapitres fournissaient quelques intuitions précieuses — notamment l'hypothèse de la super-bulle — pour expliquer ce qui se passait et annoncer ce qui se préparait. Et pourtant, la théorie de la réflexivité n'a pas reçu la consécration qu'elle mérite à mon avis. Le terme lui-même est devenu d'usage courant, mais sa signification n'a pas été comprise correctement, et les implications du concept n'ont pas été explorées. Pour qu'il mérite le titre de « nouveau paradigme », il faudrait que les chercheurs en sciences sociales s'en emparent ; ce n'est pas (encore ?) le cas.

L'hypothèse des marchés efficaces, qui s'inscrit dans l'interprétation dominante des marchés financiers, est plus que discréditée par le krach de 2008. La crise financière n'a pas été provoquée par un facteur exogène — tel que la formation ou la dissolution d'un cartel pétrolier —, mais par le système financier lui-même, ce qui suffit à infirmer l'assertion selon laquelle les marchés financiers tendent vers l'équilibre et les écarts sont dus à des chocs externes. Pour autant, la théorie alternative du fonctionnement des marchés que je propose — la théorie de la réflexivité — n'a pas remplacé le paradigme dominant. Elle n'a même pas été prise sérieusement en considération par les économistes de profession.

Lorsque je demande pourquoi, je reçois plusieurs

sortes de réponses. La première est que je ne ferais qu'enfoncer une porte ouverte en affirmant que les prix de marché reflètent les biais des acteurs. C'est une lecture par trop lacunaire de ma théorie, car elle dit aussi que des cours aberrants peuvent, dans certaines circonstances et selon des voies bien spécifiques, affecter les fondamentaux qu'ils sont supposés refléter. D'autres spécialistes m'expliquent que ma théorie des bulles est déjà contenue dans des modèles existants.

D'autres encore, mieux intentionnés, m'expliquent que, si mon cadre conceptuel ne reçoit pas davantage d'attention, c'est parce qu'il ne peut pas être formalisé et modélisé. Mais c'est justement ce que je me tue à dire : la réflexivité est source d'incertitudes impossibles à quantifier et de probabilités impossibles à calculer. Frank Knight l'a d'ailleurs démontré dès 1921 dans *Risk, Uncertainty and Profit*, et John Maynard Keynes y a fait référence également. Et pourtant, les acteurs du marché comme les agences de notation et les régulateurs continuent de calculer les risques à partir de modèles quantitatifs.

Je cherche la réponse à la question suivante : peut-on modéliser la réflexivité, ou doit-on continuer d'utiliser des modèles quantitatifs, quitte à tenir compte de la réflexivité en ajoutant une marge d'erreur liée aux incertitudes non calculables ? Mon intuition est qu'il faut faire les deux. La réflexivité ne peut évidemment être modélisée *in abstracto*, mais il est sans doute possible d'en modéliser des exemples particuliers, tel l'effet de la propension à prêter sur les prix de l'immobilier.

Par ailleurs, les modèles quantitatifs peuvent être utiles pour calculer les risques dans des conditions proches de l'équilibre — sous réserve, toutefois, de garder présent à l'esprit, notamment aux fins de régulation, que lesdites conditions peuvent, à l'occasion, s'écarter assez largement de l'équilibre. Voilà des questions qu'il serait bon d'approfondir.

Un autre modèle explicatif du fonctionnement des marchés semble cependant émerger, fondé sur l'économie comportementale et sur la théorie des systèmes évolutionnaires. J'ai suivi avec un vif intérêt le développement de l'une comme de l'autre et je reconnais leurs mérites, mais elles me semblent fâcheusement passer sous silence certaines idées importantes, et je crains que les ériger en nouvelle doxa ne fasse obstacle à une véritable compréhension des marchés financiers. Je m'explique.

L'économie comportementale explore les caprices du comportement humain et leurs conséquences sur celui du marché. Elle a mis en évidence, en procédant à des expériences, un certain nombre d'entorses à la rationalité, qui constituent autant de biais spécifiques, caractéristiques de la prise de décision en situation d'incertitude, et qui vont à l'encontre des intérêts économiques de l'agent lui-même. Voilà qui contredit l'hypothèse des marchés efficaces, dont les tenants ont répliqué en admettant l'existence de ces biais et en affirmant dans la foulée que l'arbitrage permet de les éliminer.

C'est ainsi qu'on a justifié la création de *hedge funds* dits « indifférents au marché », prétendument capables de réaliser des profits élevés en jouant sur des opportunités d'arbitrage et sur l'effet de levier. L'exemple le plus fameux est celui de Long Term Capital Management (LTCM), dont la faillite a provoqué, en 1998, une quasi-panique sur les marchés financiers. L'économie comportementale ne donne aucune explication à ce phénomène, hormis celle, implicite, que le biais comportemental s'est révélé plus puissant que la capacité de LTCM à y faire face. C'est nettement moins satisfaisant que le concept de bulle, ou de biais autovalidant, que j'ai défendu.

En vérité, le même reproche qui est fait à la théorie de la réflexivité, à savoir qu'elle énonce un truisme en affirmant que la psychologie humaine affecte les prix de marché, pourrait être fait également à l'économie comportementale. Mais, si celle-ci devait devenir le nouveau paradigme, on perdrait au passage l'idée qu'une formation erronée des prix peut affecter les fondamentaux et que les marchés financiers, loin d'être de simples reflets passifs des conditions sous-jacentes, agissent sur le cours de l'histoire.

Les marchés contraignent souvent les entreprises, voire les gouvernements, à agir dans un certain sens pour tenir compte de leurs préoccupations. L'économie comportementale est plus rudimentaire, y compris dans son exploration de la psychologie humaine, que ma théorie : elle étudie uniquement les biais comportementaux, non les idées fausses telles que le fondamentalisme de marché. Elle est même plus rudimentaire encore que l'hypothèse des marchés efficaces, car elle ne propose aucune interprétation globale de la réalité.

Ce dernier reproche n'est pas de ceux que l'on peut faire à la théorie des systèmes évolutionnaires, sur laquelle s'est fondé Andrew W. Lo, du Massachusetts Institute of Technology, pour formaliser l'hypothèse des marchés adaptatifs. L'Institut de Santa Fe travaille également sur les mêmes bases. Il semble décidément très à la mode d'appliquer au plus grand nombre de domaines possible le concept darwinien de survie du plus apte.

L'hypothèse des marchés adaptatifs traite les marchés financiers comme un écosystème dans lequel des acteurs aux stratégies divergentes seraient en compétition pour maximiser le taux de préservation de leur matériel génétique, en d'autres termes leur profit. Elle échappe aux contraintes de l'hypothèse des marchés efficaces en considérant toute stratégie comme valable dès lors qu'elle favorise la survie.

Le grand mérite de cette hypothèse est de se prêter à la modélisation — avec, qui plus est, des modèles dynamiques, puisque tant les stratégies que leur prévalence sont susceptibles d'évoluer au cours de l'itération. Le concept d'équilibre peut ainsi être remplacé par une interaction qui ressemble à la réflexivité. Cette technique de modélisation a été développée à partir de la relation réciproque entre des populations de prédateurs et leurs proies, champ dans lequel elle fonctionne parfaitement. Depuis, ces modèles « adaptatifs » ont été étendus à bien d'autres domaines que les marchés financiers, y compris l'étude des religions.

Il est évident que l'hypothèse des marchés adaptatifs présente de nombreuses et troublantes similitudes avec la réflexivité, et je souhaite qu'elle débouche un jour sur une modélisation de cette dernière, puisque c'est l'absence de modélisation qui semble faire obstacle à ce que mon cadre conceptuel soit pris au sérieux. Mais, d'un autre côté, je redoute que mes intuitions puissent être déformées au cours du processus qui les adapterait à une technique de modélisation. Je voudrais ici expliquer pourquoi.

Au cœur de ma vision du monde se trouve l'idée que les phénomènes humains — c'est-à-dire ceux dont les acteurs sont des humains — diffèrent structurellement et fondamentalement des phénomènes naturels. Ces derniers se déroulent sans aucune interférence avec la pensée humaine ; une série d'événements suit l'autre, selon une chaîne de causalité. Il n'en va pas de même des phénomènes humains : la chaîne de causalité ne conduit pas d'une série d'événements à la suivante, mais relie en une boucle réflexive, à double sens, la réalité et la pensée des acteurs.

Du fait même qu'il existe toujours un décalage entre les deux, la réflexivité introduit dans le cours des événements un élément d'incertitude qui est absent des phénomènes naturels. Je crains que l'hypothèse des marchés adaptatifs ne laisse de côté cette idée, car la théorie des systèmes évolutionnaires ne distingue pas entre les phénomènes humains et les phénomènes naturels : elle étudie l'évolution de populations, qu'il s'agisse de microbes ou d'acteurs du marché.

Pour être plus précis encore, je distingue entre les mécaniques telles que les automobiles ou les centrales électriques, d'une part, et les institutions sociales telles que les États ou les marchés, d'autre part. Les premières, pour survivre, ont besoin d'être « bien formées », c'est-à-dire de faire ce pour quoi elles ont été conçues. Il en va tout autrement des secondes, qui peuvent mal remplir leur office, voire ne pas le remplir du tout, et néanmoins se perpétuer indéfiniment. En d'autres termes, les marchés peuvent être inadaptés. Telle est la différence fondamentale que l'hypothèse des marchés adaptatifs est impuissante à identifier.

Il y a quelque chose de suspect dans le concept même de système adaptatif, qu'il s'agisse de marchés, de gouvernements ou de religions. Il semble en effet destiné à justifier tout ce qui existe, du seul fait que cela existe. C'est ignorer la principale leçon du krach de 2008. Un édifice aussi imposant, aussi impressionnant que le système financier international, s'est effondré, non pas sous un choc exogène, mais parce qu'il était mal conçu au départ. Comment une telle chose a-t-elle pu se produire ?

L'explication tient au fait qu'il y a une différence entre une construction sociale comme le système bancaire et une construction physique comme les édifices, imitant les temples grecs, qui abritent généralement les banques. C'est une vérité que les acteurs du marché, y compris les régulateurs, ont découverte à leur grand dam lors du krach de 2008, et l'économie mondiale chancelle encore sous le coup de ses conséquences. Mon cadre conceptuel intègre la différence qui existe entre une construction mécanique et une construction sociale : cette différence, c'est la réflexivité. L'hypothèse des marchés adaptatifs, faute d'identifier cette différence, perpétue le vice constitutif de l'hypothèse des marchés efficaces.

Comment la science économique a-t-elle pu produire deux hypothèses entachées de la même erreur de conception ? Tout simplement parce que l'une et l'autre reposent sur l'analogie et appliquent au domaine social une démarche qui a réussi ailleurs : l'évolutionnisme biologique pour la première, la physique newtonienne pour la seconde. On retrouve ici le principe de *faillibilité radicale* que j'ai exposé au chapitre 3 : chaque fois que nous acquérons un savoir utile, nous voulons l'étendre à des domaines où il n'a que faire.

C'est en commençant, au contraire, par explorer la relation entre pensée et réalité que je suis parvenu au concept de réflexivité, et que j'ai pu l'appliquer à l'étude des marchés financiers. Ma démarche, je ne crains pas de l'affirmer, produit de meilleurs résultats que les deux hypothèses que je viens d'évoquer, et j'écarte expressément toute tentation de la concilier avec l'une comme avec l'autre. La première, certes, est déjà totalement discréditée, mais la seconde est en pleine ascension, et cela m'inquiète quelque peu.

Je comprends la motivation qui est à l'origine de l'hypothèse des marchés adaptatifs : la volonté de protéger le statut de l'économie en tant que science. Mais je considère qu'il s'agit d'une démarche abusive, résultant de ce que l'on pourrait appeler, pour parler comme Freud, l'« envie de la physique » des économistes. Les sciences de l'homme et les sciences de la nature ont des missions différentes et requièrent des approches différentes.

Je dois ici, cependant, lancer une mise en garde quant à ma propre argumentation. Je suis moi-même chiffonné par la distinction nette que j'établis entre les phénomènes humains et les phénomènes naturels. Cette ligne de partage n'est pas le fait de la nature ; elle est le fruit des efforts de l'homme pour produire du sens à partir d'une réalité infiniment complexe. Voilà qui rejoint, une fois de plus, le postulat de la faillibilité radicale.

Je n'en suis pas moins vivement désireux de mieux comprendre le lien entre la théorie des systèmes évolutionnaires et la réflexivité. J'ai écrit à l'Institut de Santa Fe, qui se consacre à l'étude de la complexité, mais je n'ai pas encore reçu de réponse. Cela fait une question de plus à laquelle j'aimerais que d'autres personnes réfléchissent.

Je suis tout prêt à reconnaître que la réflexivité ne correspond pas aux critères généralement admis de la théorie scientifique. C'est d'ailleurs pourquoi j'ai intitulé le premier livre que j'y ai consacré *L'Alchimie de la finance*. Je considère que nous devons soit modifier les critères, soit nous résigner à étudier de façon non scientifique les marchés financiers, ce qui aurait le grave inconvénient d'entraîner une perte de statut pour les économistes.

Il serait peut-être plus facile de faire accepter le nouveau paradigme en le présentant comme philosophique plutôt que scientifique. La philosophie n'occupait-elle pas une position prééminente avant d'être détrônée par la méthode scientifique ? Cette dernière a accompli des prouesses dans l'étude des phénomènes naturels, mais elle a été moins heureuse avec celle des phénomènes humains. C'est ce qui m'a conduit à exprimer mon désaccord avec la doctrine poppérienne de l'unité de la méthode scientifique.

Sans doute serait-il judicieux de redonner à la philosophie la place prééminente qui était la sienne autrefois. Mon cadre conceptuel pourrait alors prétendre au statut de nouveau paradigme philosophique pour la compréhension des phénomènes humains en général et des marchés financiers en particulier. À vrai dire, je suis encore plus intéressé par ses implications philosophiques que par ses implications financières, même s'il y aurait quelque hypocrisie de ma part à minimiser l'importance de ces dernières. Beaucoup reste à dire, en tout cas, sur l'un comme sur l'autre sujet. Je dois m'arrêter ici, mais cela ne signifie en aucun cas que je considère la discussion comme close.

Conclusion

Le but premier de ce livre est de démontrer la validité et l'importance de la théorie de la réflexivité. Le moment est propice. Non seulement le paradigme dominant — la théorie de l'équilibre et son dérivé politique, le fondamentalisme de marché — s'est révélé incapable d'expliquer la situation actuelle, mais il peut être tenu responsable du désordre dans lequel nous nous sommes retrouvés. Nous avons donc sérieusement besoin d'un nouveau paradigme. Celui que je propose — la reconnaissance de la réflexivité — a encore à prouver sa validité. Il ne pouvait, jusqu'à présent, rivaliser avec la théorie de l'équilibre, faute de pouvoir fournir de prédictions catégoriques, et c'est pourquoi il n'a pas été pris au sérieux par les économistes. Mais maintenant que la théorie de l'équilibre s'est révélée être un échec aussi bien dans le domaine de la prédiction que dans celui de l'explication, les choses sont plus ouvertes. L'idée que la réflexivité introduit un élément d'incertitude dans les affaires humaines en général et dans les marchés financiers en particulier devrait y gagner quelque crédit. La théorie a toutefois encore à montrer ce qu'elle peut apporter. J'ai fait ce que je pouvais en matière d'explication. J'ai aussi utilisé mon cadre conceptuel comme guide dans mes décisions d'investissement. Je crois néanmoins pouvoir faire davantage, en tirant parti de ce cadre conceptuel, ainsi que de l'expérience d'une vie (les deux sont liés), pour imaginer ce qui nous attend. J'ose donc affirmer que nous vivons la fin d'une époque. Mais à quoi la nouvelle ressemblera-t-elle ?

Il n'est pas question de se livrer à des prédictions définitives. L'avenir dépend des politiques qui seront menées pour réagir à la crise financière. Mais nous pouvons au moins identifier les problèmes et analyser les options possibles. Nous pouvons aussi dire sans grand risque d'erreur ce à quoi l'ère nouvelle *ne ressemblera pas*. La période d'expansion du crédit que nous avons connue au lendemain de la Seconde Guerre mondiale ne sera pas suivie d'une période équivalente de resserrement du crédit. Les cycles *boom-bust* sont asymétriques : une expansion longue, qui s'accélère progressivement, suivie d'une contraction brève et brutale. Cela signifie que l'essentiel du resserrement du crédit se produira sans doute à échéance rapprochée. Les prix de l'immobilier ont déjà baissé de près de 10 %, et baisseront sans doute de 20 % supplémentaires ou plus l'an prochain. La réduction du recours à l'effet de levier bat aussi son plein ; elle ne pourra se poursuivre très longtemps au même rythme. Elle peut certes recevoir une nouvelle impulsion du fait d'une récession ou d'autres bouleversements ; on peut néanmoins escompter qu'elle

aura fini de produire ses effets d'ici un an environ. La
fin du resserrement du crédit est susceptible d'apporter
un soulagement à court terme, mais il est peu probable
que nous assistions à une reprise de son expansion à
des taux rappelant, même de loin, ceux auxquels nous
étions accoutumés.

Si une récession paraît aujourd'hui (en avril 2008) inévitable aux États-Unis, il n'y a pas de raison de s'attendre
à une récession mondiale. Les puissants facteurs expansionnistes qui sont à l'œuvre dans d'autres régions du
monde pourraient bien compenser, en effet, une croissance négative aux États-Unis et un ralentissement en
Europe et au Japon. Naturellement, ces évolutions économiques sont susceptibles d'avoir des répercussions
politiques à même de perturber à leur tour l'économie
mondiale.

De la même façon, la fin de la super-bulle ne signifie
pas la fin des bulles en général. Il s'en forme d'ailleurs
de nouvelles à l'heure qu'il est. La désaffection pour
le dollar a encore accéléré la progression des prix des
matières premières et de l'énergie. Le développement
des biocarburants a provoqué un boom sur les produits
agricoles. Et l'appréciation du yuan a rendu négatifs les
taux d'intérêt réels en Chine, ce qui va généralement de
pair avec une bulle d'actifs.

La fin d'une époque, qu'est-ce que cela signifie au
juste ? Sans aucun doute, la fin d'une longue période
de relative stabilité, fondée sur les États-Unis comme
puissance dominante et sur le dollar comme principale
monnaie de réserve internationale. Je prévois une ère

d'instabilité politique et financière, dont on peut espérer qu'elle sera suivie de l'émergence d'un nouvel ordre mondial.

Pour que chacun prenne bien la mesure de ce que l'avenir nous réserve, il me faut encore exposer l'un des corollaires de mon cadre conceptuel, sur lequel je n'ai pas assez insisté jusqu'à présent. J'ai évoqué le postulat de la faillibilité radicale, l'idée que toutes les constructions humaines sont défectueuses à un titre ou à un autre, même si leurs défauts peuvent ne pas apparaître avant un certain temps. Il s'ensuit qu'une construction défectueuse peut parfaitement rester stable pendant une période assez longue. J'ai évoqué aussi la différence fondamentale entre les sciences de la nature et les sciences sociales. L'une des manifestations de cette différence est que les constructions qui utilisent les forces de la nature doivent obéir aux lois de la nature ; elles doivent être ce que les philosophes analytiques appellent « bien formées ». Une centrale électrique doit produire de l'électricité, une bombe nucléaire doit dégager l'énergie contenue dans les noyaux des atomes lors de l'explosion, etc. Les constructions sociales, elles, n'ont pas le même besoin de tenir leurs promesses ; il suffit de convaincre les individus de les accepter par un argument ou par un autre, que ce soit la persuasion, la tradition ou la coercition. En vérité, les constructions sociales ne peuvent être « bien formées », du fait de l'incapacité innée des acteurs à fonder leurs décisions sur la connaissance pure. Quel que soit le régime en vigueur, il est susceptible de comporter des contradictions insolubles, et de faire place à brève échéance à un régime totalement différent.

Ce que j'essaie d'expliquer de cette façon abstraite, je l'ai expérimenté très concrètement au cours de ma vie. J'ai grandi dans un environnement stable, dans la classe moyenne ; puis j'aurais été tué par les nazis si mon père ne m'avait procuré une fausse identité. J'ai vécu les débuts de la répression communiste en Hongrie ; puis j'ai été un étranger en Angleterre, cherchant à trouver sa place dans une société stable et libre. J'ai vu les marchés financiers changer jusqu'à en devenir méconnaissables ; et je suis devenu quelqu'un alors que je n'étais personne.

Lorsque je considère l'histoire, je vois que les périodes de stabilité et d'instabilité alternent. Je vois aujourd'hui se profiler la fin d'une période de relative stabilité. Je décèle d'immenses contradictions dans les arrangements sociaux. Elles ne sont pas nouvelles, et sont d'ailleurs inévitables, au sens où on n'a jamais vu d'arrangements qui n'en comportent pas. Prenons l'exemple des régimes de taux de change : chacun d'eux a ses inconvénients. Les parités fixes sont trop rigides, et néanmoins susceptibles de s'effondrer ; les taux de change flottants ont tendance à trop fluctuer ; les systèmes intermédiaires, comme les « taux flottants administrés » ou les « parités fixes mais ajustables », ont pour effet d'accentuer la tendance qu'elles sont censées infléchir. J'ai souvent dit, pour plaisanter, que les régimes de changes sont comme les régimes matrimoniaux : on voudrait toujours celui que l'on n'a pas. Ces contradictions étaient patentes tout au long de la période qui est en train de s'achever, mais la domination des États-Unis et du dollar imposait une certaine stabilité — qui se trouve aujourd'hui perturbée. Les politiques menées sous la présidence Bush ont amoindri l'hégémonie politique des États-Unis, et voici qu'une crise financière vient menacer le système financier international et réduire la disposition du reste du monde à détenir des dollars.

Dans mon modèle *boom-bust*, les conditions « éloignées de l'équilibre » caractérisent les phases tardives de la bulle, après quoi on observe un retour à des conditions plus normales, proches de l'équilibre. La super-bulle ne suit pas ce modèle, dans la mesure où de telles conditions n'y existent pas. Nous avons devant nous une période de très fortes incertitudes, où le champ des possibles sera bien plus large qu'en temps normal. La principale de ces incertitudes tient à la façon dont les autorités américaines réagiront aux difficultés qu'elles ont à affronter.

Les États-Unis ont à affronter une récession économique et la désaffection croissante du reste du monde pour le dollar. La baisse des prix de l'immobilier, le poids de la dette immobilière accumulée, les pertes et la fragilisation du système bancaire menacent de précipiter l'économie dans un déclin accéléré. Les mesures visant à faire face à cette menace accroissent la demande de dollars, tandis que la désaffection pour le dollar est source de tensions inflationnistes en ce qu'elle renchérit les prix de l'énergie, des matières premières et des produits alimentaires. La BCE, qui a pour mission de veiller à la stabilité des prix, est réticente à baisser les taux d'inté-

rêt. C'est un sujet de discorde entre les autorités monétaires américaine et européenne, et il s'exerce sur l'euro
une pression à la hausse. L'euro s'est apprécié davantage que le yuan, créant des tensions commerciales entre
l'Europe et la Chine. Le yuan va sans doute rattraper
l'euro, à la fois pour éviter la montée du protectionnisme
aux États-Unis et, de plus en plus, en Europe, et pour
contenir l'inflation importée en Chine. En retour, les
prix augmenteront dans les magasins américains, mettant le consommateur américain à rude épreuve. Malheureusement, le gouvernement actuel ne fait preuve
d'aucune compréhension de la situation difficile dans
laquelle se trouve le pays.

Les pouvoirs publics seront obligés, en dernière
analyse, de recourir à l'argent des contribuables pour
stopper la baisse des prix de l'immobilier. Tant qu'ils
ne l'auront pas fait, la baisse se nourrira d'elle-même,
avec des Américains chassés de maisons dans lesquelles
ils ont placé un capital devenu négatif, et un nombre
croissant d'établissements financiers insolvables, renforçant la récession ainsi que la désaffection pour le dollar.
L'administration Bush et la plupart des prévisionnistes
n'arrivent pas à comprendre qu'une tendance de marché puisse s'autorenforcer aussi bien à la baisse qu'à la
hausse. Ils attendent que le marché immobilier atteigne
tout seul son minimum historique, mais il est plus tard
qu'ils ne le croient.

Indice S&P/Case-Shiller des prix de l'immobilier résidentiel

Moyenne pondérée sur 20 villes, en glissement annuel jusqu'en janvier 2008

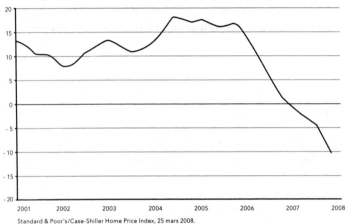

Standard & Poor's/Case-Shiller Home Price Index, 25 mars 2008.

Le gouvernement résiste à recourir à l'argent des contribuables à cause de son fondamentalisme de marché ainsi que de sa réticence à concéder du pouvoir au Congrès. Il a laissé dans une large mesure la Fed conduire la politique. C'était faire peser un trop lourd fardeau sur les épaules d'une institution conçue pour s'occuper de problèmes de liquidité, non de solvabilité. Avec l'opération de sauvetage de Bear Stearns et la nouvelle facilité de crédit qu'elle a cru devoir consentir, la Fed a mis en danger son propre bilan. J'attends mieux de la prochaine présidence, mais je prévois, d'ici là, beaucoup de revirements, difficiles à anticiper, dans l'attitude des pouvoirs publics envers les marchés, tant il est clair que les politiques actuelles sont inadéquates.

*

C'est avec de sérieuses appréhensions que je publie ce livre. Je redoute une disproportion entre l'intérêt que j'ai pris à l'écrire et celui que l'on prendra à le lire. L'atmosphère actuelle des marchés financiers est proche de la panique. Les gens veulent savoir ce qui les attend. Je ne peux pas le leur dire, parce que je n'en sais rien. Ce que j'ai à leur dire est d'une tout autre nature. C'est de la condition humaine qu'il s'agit.

Nous sommes amenés à prendre des décisions sans disposer d'une connaissance suffisante. Nous avons pris le contrôle des forces de la nature, et cela nous a rendus très puissants. Nos décisions sont lourdes de conséquences. Nous pouvons faire beaucoup de bien, ou beaucoup de mal. Mais nous n'avons pas appris à nous gouverner nous-mêmes. Nous vivons donc dans une grande incertitude et dans un grand péril. Il nous faut acquérir une meilleure compréhension de la situation dans laquelle nous nous trouvons. Accepter l'incertitude est toujours difficile. Il est tentant de chercher à y échapper en nous mentant à nous-mêmes et à autrui, mais cela risque de nous mettre dans un plus grand embarras encore.

J'ai consacré ma vie à m'efforcer de mieux comprendre la réalité. Je me suis concentré, dans ce livre, sur les marchés financiers parce qu'ils sont un excellent laboratoire pour mettre mes théories à l'épreuve, et j'expose aujourd'hui celles-ci dans la précipitation parce que nous nous trouvons en grande difficulté à cause d'une idée aussi fausse que répandue. Voilà qui devrait au moins démontrer combien il est important d'affronter la réalité plutôt que de chercher à la fuir. Certes, nous ne pourrons jamais l'appréhender totalement, et je ne prétends pas que la théorie de la réflexivité constitue la vérité ultime. Elle affirme au demeurant que la vérité ultime est hors de notre portée, et insiste sur le rôle que jouent les idées fausses dans le cours des événements. Ce n'est pas une question à laquelle le public s'intéresse spontanément lorsque les marchés financiers, comme aujourd'hui, connaissent des turbulences. Mais j'ose souhaiter qu'il voudra bien y accorder quelque considération. En retour, j'espère lui avoir donné un aperçu de la façon dont ces marchés fonctionnent.

Je conclurai en lançant un appel. Ou plutôt, en comptant qu'il ne s'agisse pas d'une conclusion, mais du début d'un effort collectif pour mieux comprendre la condition de l'homme. Étant donné le contrôle croissant que nous exerçons sur les forces de la nature, comment pouvons-nous mieux nous gouverner nous-mêmes ? Comment concilier le nouveau paradigme des marchés financiers avec l'ancien ? Comment réguler le système financier international ? Comment résoudre le problème du réchauffement climatique et celui de la prolifération nucléaire ? Comment mettre sur pied un meilleur ordre mondial ? Telles sont les questions auxquelles il nous faut trouver des réponses. Je souhaite que le débat qui s'engage soit aussi animé que possible.

Annexes

Annexe 1

Témoignage de George Soros devant la commission du Commerce du Sénat des États-Unis sur la manipulation des cours du pétrole, mardi 3 juin 2008

Madame la Présidente, mesdames et messieurs les sénateurs, je suis honoré d'être invité à témoigner devant votre commission. Je crois comprendre que vous cherchez une explication à la hausse récente et brutale des marchés à terme du pétrole et des prix de l'essence. Vous voulez savoir en particulier s'il s'agit d'une bulle et si, dans ce cas, une meilleure régulation pourrait tempérer ses conséquences négatives.

Avant d'essayer de répondre à ces questions, je dois souligner que je ne suis pas un spécialiste des marchés pétroliers. J'ai passé toute ma vie, en revanche, à étudier les bulles. Je vais donc vous exposer brièvement ma théorie des bulles — qui va à l'encontre des idées reçues — puis évoquer la situation actuelle des marchés pétroliers. Je concentrerai mon propos sur les institutions financières qui investissent dans des indices de produits de base en tant que classe d'actifs, car le phénomène, relativement récent, est devenu, s'agissant des marchés à terme, « le sujet qui fâche ».

Ma théorie est que toute bulle se compose de deux éléments : une tendance fondée sur la réalité, d'une part, et une idée fausse ou une interprétation erronée de cette tendance, d'autre part. Les marchés financiers savent généralement très bien rectifier les idées fausses. Mais il arrive néanmoins que les idées fausses aboutissent à des bulles, car elles sont susceptibles de renforcer la tendance en cours et, ce faisant, de conforter l'idée fausse sur laquelle elle repose, jusqu'à ce que l'écart entre la réalité et l'interprétation que le marché fait de cette réalité devienne insoutenable. L'idée fausse est alors reconnue comme telle, le désenchantement s'installe, et la tendance s'inverse. Une baisse de la valeur des collatéraux provoque des appels de marge, donc des ventes en catastrophe, qui provoquent à leur tour un surajustement dans la direction opposée. La contraction tend à être plus courte et plus brutale que l'expansion qui l'a précédée.

La séquence contredit la théorie dominante des marchés financiers, qui est fondée sur la croyance que les marchés ont toujours raison et que les écarts par rapport à l'équilibre surviennent de façon aléatoire. Les différents instruments financiers synthétiques tels que les CDO ou les CLO[1], qui ont tant contribué à transformer la crise des *subprimes*[2] en une crise financière bien plus grave, ont été bâtis sur cette croyance. Mais la théorie dominante est fausse. Les écarts sont susceptibles de se renforcer d'eux-mêmes. Nous vivons actuellement l'éclatement d'une bulle immobilière et, en même temps, une hausse des prix du pétrole ainsi que d'autres produits de base, qui présente certaines caractéristiques d'une bulle. Je crois que les deux phénomènes sont liés, qu'ils s'inscrivent dans ce que j'appelle une super-bulle, et qui s'est développée au cours du dernier quart de siècle. Dans cette super-bulle, l'idée fausse est que les marchés tendent vers l'équilibre et que les écarts sont aléatoires.

Voilà pour les bulles en général. S'agissant du marché du pétrole en particulier, je crois que quatre facteurs principaux sont à l'œuvre et qu'ils se renforcent mutuellement.

Premièrement, il y a le coût croissant de la découverte et de l'exploitation de nouveaux gisements et l'épuisement accéléré des gisements existants à mesure qu'ils vieillissent. C'est ce qu'on désigne sous l'appellation trompeuse de *peak oil*.

On observe, deuxièmement, ce que l'on pourrait décrire comme une courbe d'offre rebroussée vers l'arrière. Lorsque le prix du pétrole monte, les pays producteurs sont désincités à convertir leurs réserves de pétrole

---

1. *Collateralized Debt Obligations* (voir p. 20) et *Collateralized Loan Obligations* (voir p. 27).
2. Voir p. 15.

en sous-sol, appelés à prendre de la valeur, en réserves de dollars à l'air libre, qui en perdent. En outre, des prix élevés permettent à des régimes politiques inefficaces et hostiles à l'Occident, comme en Iran, au Venezuela ou en Russie, de se maintenir au pouvoir. La production de pétrole de ces pays est en baisse.

Troisièmement, les pays dont la demande croît le plus vite, en particulier les principaux pays producteurs, mais aussi la Chine et les autres exportateurs asiatiques, maintiennent artificiellement bas, au moyen de subventions, les prix de l'énergie sur leur marché intérieur. La hausse des cours du pétrole ne réduit donc pas la demande comme elle le ferait dans des conditions normales.

Quatrièmement, le comportement grégaire des spéculateurs et l'achat d'indices de produits de base par les investisseurs institutionnels renforcent la pression à la hausse sur les prix. Les produits de base sont devenus une classe d'actifs à part entière pour les institutionnels, qui en achètent de plus en plus, dans le cadre d'une politique délibérée d'achat d'indices. Ces derniers temps, les cours au comptant ont augmenté bien au-delà du coût marginal de production et, curieusement, les contrats à terme ont augmenté plus vite encore que les cours au comptant. Les courbes de prix ont pris une forme parabolique, caractéristique des bulles en formation.

Alors, s'agit-il ou non d'une bulle ? Ma réponse est que la bulle se superpose à une tendance à la hausse des prix du pétrole, qui est bien ancrée, elle, dans la réalité. Les trois premiers facteurs que j'ai mentionnés sont réels, et persisteraient même si la spéculation et l'achat d'indices de produits de base disparaissaient. Je m'arrêterai un moment sur l'achat d'indices de produits de base par les institutionnels, car il illustre parfaitement ma théorie des bulles.

L'achat d'indices est fondé sur une idée fausse. Il constitue un usage improductif du capital. Lorsque la pratique a commencé à se développer, il y avait à cela une justification rationnelle. Les *futures* de produits de base étaient vendus avec une décote par rapport au cours au comptant, ce qui permettait aux établissements d'engranger un gain supplémentaire. Ils fournissaient indirectement du capital aux producteurs, lesquels vendaient leurs produits à terme pour financer leur activité de production. C'était un choix d'investissement tout à fait légitime. Mais il est devenu trop couru pour rester vraiment rentable. Il continue pourtant d'attirer de nouveaux investissements du seul fait qu'il s'est révélé plus rentable que d'autres classes d'actifs. C'est un cas classique d'idée fausse susceptible de se conforter elle-même dans l'une ou l'autre direction.

Ces achats d'indices de produits de base me rappellent étrangement l'engouement pour l'assurance de portefeuille, qui a conduit au krach boursier de 1987. Dans les deux cas, les institutionnels se mettent tous du même côté du marché, et leur poids suffit à le déséquilibrer. Si la tendance s'inversait et que, comme en 1987, ils cherchaient tous à sortir, il y aurait un krach.

Certes, le marché du pétrole n'est pas menacé d'effondrement imminent. Le danger se situe plutôt du côté opposé. La montée des cours aggrave les perspectives de récession. C'est seulement lorsque la récession est là que la baisse de la consommation dans les pays développés risque de l'emporter sur les autres facteurs que j'ai mentionnés. C'est pourquoi il serait souhaitable de décourager les ventes d'indices de produits de base avant que la bulle ait fini de gonfler.

En résumé, il est pour moi tout à fait évident que la politique d'achat d'indices de produits de base menée par les investisseurs institutionnels est intellectuellement malsaine, potentiellement déstabilisante et économiquement nuisible.

S'agissant des mesures de régulation à prendre, en revanche, les choses sont moins claires. Les régulations peuvent avoir des conséquences négatives inattendues. Elles risquent, par exemple, d'inciter les investisseurs à s'engager plus avant sur des marchés non réglementés, qui sont moins transparents et offrent moins de garanties. Il est sans doute possible de persuader les investisseurs institutionnels qu'ils vont à l'encontre de toute règle de prudence en agissant de façon aussi grégaire qu'en 1987. À défaut, il faut au moins interdire aux fonds de pension régis par la loi sur les retraites d'acheter des produits de base — mais non pas d'investir dans les sociétés qui les produisent. Les différentes techniques destinées à contourner les limites de position spéculative devraient être interdites, à condition que cette interdiction puisse s'appliquer aussi bien aux marchés non réglementés qu'aux marchés réglementés.

Relever les dépôts de garantie serait sans effet sur la politique d'achat d'indices de produits de base par les établissements financiers, étant donné que ces derniers paient comptant. Ce serait néanmoins justifié, car cela découragerait la spéculation, et la spéculation peut être source de distorsion des prix. La modulation des dépôts de garantie et l'instauration de minima de réserves sont des outils qui devraient être utilisés plus activement pour prévenir le gonflement des bulles d'actifs. C'est l'une des principales leçons à retenir de la récente crise financière.

Enfin, le traitement de l'aspect « bulle » ne devrait pas détourner notre attention des problèmes, interdépendants, du réchauffement climatique, de la sécurité énergétique et de ce qu'on appelle le *peak oil*. Bien qu'elles ne fassent pas partie du champ de vos auditions, ce sont des questions pressantes qui requièrent une action urgente.

J'espère que mes propos auront éclairé vos délibérations. Je vous remercie.

Annexe 2

« Pas de chèque en blanc pour Paulson »
Article de George Soros paru
dans le *Financial Times*,
le 24 septembre 2008

Le plan de sauvetage à 700 milliards de dollars de Henry Paulson a rencontré des obstacles sur la colline du Capitole. Le Congrès abdiquerait sa responsabilité s'il signait un chèque en blanc au secrétaire au Trésor. Le projet de loi qui lui est soumis comportait même, dans sa version initiale, des dispositions tendant à soustraire les décisions du secrétaire au contrôle de toute instance judiciaire ou administrative — accomplissement ultime du rêve d'« exécutif unitaire » de l'administration Bush.

Les actions passées de M. Paulson n'inspirent pas une confiance suffisante pour qu'on lui confie 700 milliards à dépenser comme bon lui semble. Ce sont les décisions qu'il a prises la semaine dernière qui ont provoqué la crise qui rend ce sauvetage nécessaire. Le lundi, il a laissé Lehman Brothers faire faillite et a refusé de recourir aux fonds publics pour sauver AIG. Le lendemain même, il a dû faire marche arrière et consentir à AIG un prêt de 85 milliards, assorti de conditions draconiennes. La disparition de Lehman a perturbé le marché des effets de commerce. Un fonds important du marché monétaire a vu son cours réduit à moins d'un dollar et les banques d'affaires qui se reposaient sur le marché des effets de commerce ont eu la plus grande difficulté à financer leurs opérations. Dès le jeudi, le public fuyait en masse les fonds du marché monétaire, et nous sommes passés près d'une débâcle financière comparable à celle des années 1930. M. Paulson a fait marche arrière une seconde fois et proposé un plan de sauvetage systémique.

M. Paulson a déjà reçu un chèque en blanc du Congrès. C'était au sujet de Fannie Mae et de Freddie Mac. L'option qu'il a choisie a précipité le marché immobilier dans la pire des situations : leurs dirigeants savaient que, si les chèques en blanc étaient remplis au maximum, ils perdraient leur place, de sorte qu'ils ont préféré restreindre leurs prétentions et rendre les hypothèques plus chères et plus difficiles d'accès. En quelques semaines, le marché a forcé la main de M. Paulson, qui a dû les mettre sous tutelle.

La proposition de M. Paulson de racheter les titres adossés à des créances hypothécaires en péril pose un problème classique d'asymétrie de l'information. Les titres sont difficiles à évaluer, mais le vendeur sait des choses que l'acheteur ne sait pas ; au terme de n'importe quelle procédure d'enchères classiques, le Trésor se retrouverait avec les déchets. La proposition est également lourde de conflits d'intérêts latents. Sauf à ce que le Trésor consente une surcote, le schéma n'apporterait aucun soulagement au système. Et s'il doit servir à renflouer des banques insolvables, que recevra le contribuable en retour ?

Barack Obama a exposé les quatre conditions qui, selon lui, devraient être posées : que les contribuables soient associés aux plus-values comme aux moins-values ; que le processus soit supervisé par un comité bipartisan ; que l'aide aille aux accédants comme aux détenteurs d'hypothèques ; que des limites soient mises à l'indemnisation de ceux qui bénéficieront de l'argent du contribuable. Ces principes sont justes. Mais ils seraient appliqués plus efficacement si l'on recapitalisait directement les établissements grevés de créances douteuses plutôt que de les délester de ces actifs.

L'argent public serait mieux employé à accroître les fonds propres des banques qu'à nettoyer leurs bilans. Créer pour 700 milliards d'actions privilégiées à warrants pourrait suffire à combler le trou créé par l'éclatement de la bulle immobilière. En revanche, augmenter de 700 milliards de dollars la demande sur un marché de 11 000 milliards ne suffirait sans doute pas à enrayer la baisse des prix de l'immobilier.

Il faut aussi agir sur l'offre. Pour empêcher une baisse excessive des prix de l'immobilier, le nombre des saisies doit être maintenu aussi bas que possible. Les termes des hypothèques, quant à eux, doivent être ajustés à la capacité de remboursement des accédants.

Le plan de sauvetage laisse malheureusement cet

aspect de côté. Procéder aux nécessaires modifications des termes des hypothèques est une tâche ardue, rendue plus délicate encore par le fait que beaucoup d'hypothèques ont été découpées en tranches et restructurées dans des CDO, et que les détenteurs des différentes tranches ont des intérêts divergents. La résolution de ces conflits d'intérêts prendrait trop de temps pour que le plan de sauvetage puisse inclure un schéma de modification des hypothèques, mais on pourrait au moins préparer le terrain en révisant la loi sur les faillites en ce qui concerne les résidences principales.

Maintenant que la crise est là et bien là, un plan de sauvetage à grande échelle est sans doute indispensable pour la maîtriser. La bonne voie à suivre consiste à aider les banques à reconstruire leurs bilans. Toutes ne méritent pas d'être sauvées, mais on peut compter sur les experts de la Réserve fédérale, pour peu qu'ils soient munis d'instructions adéquates, pour prendre les bonnes décisions. Celles qui rechigneraient à assumer les conséquences de leurs erreurs passées pourraient se voir privées des facilités de prêt de la Fed. La mise à disposition de fonds publics devrait également encourager le secteur privé à participer à la recapitalisation du secteur bancaire et à la résolution de la crise financière.

Copyright The Financial Times Limited 2008

Annexe 3

« Recapitaliser le système bancaire »
Article de George Soros paru
dans le *Financial Times,*
le 2 octobre 2008

La législation d'urgence en cours d'examen par le Congrès souffre d'une erreur de conception — ou, plus exactement, d'une absence de conception. Les congressistes ayant voulu amender le projet du secrétaire au Trésor, il en est résulté un texte hybride, mêlant le plan initial de sauvetage des actifs à risques et un autre plan, passablement différent, de recapitalisation, qui amènerait l'État à investir dans les banques fragilisées pour les stabiliser et à bénéficier *in fine* du redressement éventuel de l'économie. Cette démarche coûtera moins d'argent au contribuable dans les années à venir et peut même lui en faire gagner.

Il y a encore deux semaines, le Trésor n'avait pas de plan bien arrêté — et c'est pourquoi il a dû demander carte blanche pour dépenser l'argent. Son idée était, *grosso modo*, d'accorder un répit au système bancaire en délestant les établissements de leurs actifs toxiques et en les regroupant dans un fonds d'État, afin d'éviter qu'ils ne soient vendus sur le marché à des prix de braderie. La valeur de leurs investissements étant ainsi stabilisée, les banques pourraient lever des fonds propres.

Les obstacles étaient nombreux. Les actifs toxiques en question ne sont pas homogènes et, dans une procédure d'enchères, les vendeurs n'auraient laissé à l'État que les déchets. De plus, un tel schéma ne traite qu'une moitié du problème sous-jacent : le manque de disponibilité du crédit. Il n'aide guère les accédants à la propriété à payer leurs mensualités et ne règle pas le problème des saisies. Étant donné que les prix de l'immobilier n'ont pas encore touché le fond, le contribuable sera sans doute perdant si l'État surpaie les actifs adossés aux hypothèques ; dans le cas contraire, le système bancaire ne recevra pas le soulagement dont il a besoin et ne pourra lever de capitaux sur le marché.

Un scénario favorisant si outrancièrement Wall Street par rapport à l'homme de la rue était politiquement inacceptable. Les démocrates, qui sont en position de force, l'ont fortement amendé, de façon à pénaliser les établissements financiers qui chercheraient à profiter de la situation. Les républicains n'ont pas voulu être en reste, et ont exigé que le risque de moins-value des actifs cédés soit supporté par les établissements cédants. Le plan de sauvetage, dans sa nouvelle configuration, mêle donc des approches diverses. Il y a maintenant un danger réel que le programme de rachats d'actifs ne soit pas utilisé à plein, du fait des conditions draconiennes dont il est assorti.

Reste qu'un plan de sauvetage était indispensable et qu'il est susceptible, en dépit de ses lacunes, de changer le cours des événements. Jusqu'au 22 septembre, le secrétaire au Trésor Henry Paulson a espéré pouvoir se passer de recourir à l'argent du contribuable ; c'est pourquoi il a laissé Lehman Brothers faire faillite. Son plan part du principe que des fonds publics sont nécessaires et que, si les mesures prises sont insuffisantes, d'autres suivront. Nous aurons alors franchi le Rubicon. Étant donné que le plan est mal conçu, il est probable qu'il suscitera des réactions négatives chez les créanciers de l'Amérique, qui pourraient bien y voir une tentative de dissoudre la dette dans l'inflation. Le dollar risque de se trouver à nouveau sous pression, et l'État de devoir payer davantage pour rembourser ses dettes, en particulier celles à long terme. Ces conséquences négatives pourraient être atténuées par une utilisation plus efficace de l'argent du contribuable.

Au lieu de se contenter de racheter des actifs à risques, il faudrait utiliser l'essentiel des fonds à recapitaliser le système bancaire. La recapitalisation en fonds propres est au moins douze fois plus efficace, à montant égal, que l'aide à la reconstruction du bilan – soit l'équivalent de 8 400 milliards de dollars pour réamorcer la pompe du crédit. En pratique, l'effet serait même supérieur, car l'injection d'argent public aurait pour effet d'attirer aussi les capitaux privés. Cela stimulerait la reprise et accroîtrait les chances que le contribuable en bénéficie.

Copyright The Financial Times Limited 2008

Remerciements

En temps normal, je fais largement circuler mon manuscrit et je le révise constamment, en fonction des réactions que je reçois. Cette fois, j'ai procédé différemment. Je n'ai sollicité que quelques personnes, qui m'ont toutes donné des avis précieux : Keith Anderson, Jennifer Chun, Leon Cooperman, Martin Eakes, Charles Krusen, John Heimann, Marcel Kasumovich, Richard Katz, Bill McDonough, Pierre Mirabaud, Mark Notturno, Jonathan Soros, Paul Soros, Herb Sturz, Michael Vachon et Byron Wien. J'ai reçu l'aide inestimable, pour la partie philosophique, de Colin McGinn, qui a annoté le texte en détail et m'a aidé à éclaircir certaines difficultés conceptuelles. Charles Morris, dont je recommande chaleureusement le livre (*The Trillion Dollar Meltdown : Easy Money, High Rollers, and the Great Credit Crash*, New York, PublicAffairs, 2008), comprend bien mieux que moi les arcanes des instruments financiers synthétiques. Lui et Marcel Kasumovitch m'ont aidé pour l'introduction et pour la deuxième partie. Raquiba LaBrie et Herb Sturz, qui travaillent à ma fondation, ont organisé une rencontre d'experts sur le problème des saisies immobilières, et m'ont également aidé, avec Solomon Greene et Diana Morris, à formuler mes préconisations relatives aux mesures à prendre dans ce domaine. Keith Anderson m'a fourni les graphiques que j'ai utilisés au chapitre 5. Peter Osnos, mon éditeur, ainsi que toute l'équipe de PublicAffairs, ont réussi l'impossible en publiant ce livre sous forme électronique quelques jours seulement après réception du texte définitif. Yvonne Sheer et Michael Vachon ont été, tout au long du projet, aussi serviables qu'à l'accoutumée. La responsabilité du texte, bien entendu, est entièrement la mienne.

Table

III. RÉFLEXIONS SUR LE KRACH DE 2008
ET SUR SA SIGNIFICATION

Pour l'éditeur, le principe est d'utiliser des papiers composés de fibres naturelles, renouvelables, recyclables et fabriquées à partir de bois issus de forêts qui adoptent un système d'aménagement durable.

En outre, l'éditeur attend de ses fournisseurs de papier qu'ils s'inscrivent dans une démarche de certification environnementale reconnue.

Achevé d'imprimer en Espagne, par LITOGRAFIA ROSES S.A. (Gava)
HACHETTE LITTÉRATURES - 31 rue de Fleurus - 75006 PARIS
Collection n° 25 - Édition 01
Dépôt légal : septembre 2009